L'amour
SEXSHIP

Catalogage avant publication de Bibliothèque et Archives
nationales du Québec et Bibliothèque et Archives Canada
Lamontagne, Chantal, 1958-
   L'amour sexship: l'art de l'intelligence sexuelle
   Comprend des réf. bibliogr.
   ISBN 978-2-89225-769-4
   1. Vie sexuelle. 2. Amours. 3. Relations entre hommes et femmes.
4. Femmes – Sexualité. 5. Hommes – Sexualité. I. Bernard, David,
1977- . II. Titre.

HQ21.L35 2012   306.7   C2011-942642-0

Adresse municipale: Adresse postale:
Les éditions Un monde différent   Les éditions Un monde différent
3905, rue Isabelle, bureau 101   C.P. 51546
Brossard (Québec) Canada   Succ. Galeries Taschereau
J4Y 2R2   Greenfield Park (Québec)
Tél.: 450 656-2660 ou 800 443-2582 J4V 3N8
Téléc.: 450 659-9328
Site Internet: www.umd.ca
Courriel: info@umd.ca

©, Tous droits réservés, Chantal Lamontagne et David Bernard, 2012
©, Les éditions Un monde différent ltée, 2012
Pour l'édition en langue française

Dépôts légaux: 1er trimestre 2012
Bibliothèque nationale du Québec
Bibliothèque nationale du Canada
Bibliothèque nationale de France

Conception graphique de la couverture:
OLIVIER LASSER et AMÉLIE BARRETTE

Photos des auteurs sur la couverture et dans le livre:
TZARA MAUD

Photocomposition et mise en pages:
ANDRÉA JOSEPH [pagexpress@videotron.ca]

Typographie: Fairfield LH Light 12 sur 13,6 pts
ISBN 978-2-89225-769-4

*Nous reconnaissons l'aide financière du gouvernement du Canada par l'entre-
mise du Fonds du livre du Canada (FLC) pour nos activités d'édition.*

*Gouvernement du Québec – Programme de crédit d'impôt pour l'édition de
livres – Gestion SODEC.*

Gouvernement du Québec – Programme d'aide à l'édition de la SODEC.

IMPRIMÉ AU CANADA

CHANTAL LAMONTAGNE
ET DAVID BERNARD

L'amour SEXSHIP

L'ART DE
L'INTELLIGENCE SEXUELLE

UN MONDE ⚥ DIFFÉRENT
1977 2012

Note de l'éditeur :

Dans ce texte, le masculin inclut le féminin pour en alléger la lecture.

À Jonathan,
la personne que j'aime le plus au monde…

CHANTAL

À Huguette et Jack, mes parents,
mon plus beau modèle
de succès amoureux et familial !
Je vous aime…

DAVID

Table des matières

Préface de Marc Fisher

C'était le 28 octobre 2011. La veille, après 28 heures de route au volant de ma fiable BM, j'étais arrivé au condo familial de Lauderdale-by-the-sea, pour y prendre – avec beaucoup de retard – mes vacances estivales trop longtemps reportées.

Le temps était fâcheusement nuageux et, ô horreur! on annonçait de la pluie, portée par la queue de quelque tornade tropicale tout à fait déplorable pour MES vacances!

Mais devais-je tout de suite m'en affliger?

Non!

Car je me souvins alors que j'avais lu, il y a quelques années, qu'Elvis Presley avait la certitude de pouvoir influencer le mouvement des nuages par la seule force de son esprit!

C'était le King, *of course*, mais depuis des années je me suis efforcé d'exercer mon esprit, auquel je dois tout, succès, joie de vivre et fortune.

Et j'ai été témoin, au cours de mon existence, de plusieurs miracles, petits et grands, dont la source n'est autre, il me semble, que l'esprit humain, dont on néglige si souvent les vertus.

Je fais donc un «360 degrés» sur moi-même, me concentre et envoie quelques ordres précis à l'univers, et surtout… à la partie de l'univers qui se situe au bord de la mer à Lauderdale-by-the-sea!

Puis, ayant envoyé mon «ordre!», je fais comme il se doit, et je lâche prise! Et pour être sûr de le faire, vu ma nature hautement compulsive, je me sers ma médecine habituelle: un verre de Chardonnay.

La lèvre comblée, je me repose de ma folle expédition, pourtant profitable car, sur la longue route, une vingtaine de scènes de mon prochain scénario me sont venues, presque toutes parfaites. Allez savoir pourquoi: je suis censé être en vacances!

Le lendemain, un ami m'appelle de grand matin pour me dire que la tempête tropicale a changé son cours pendant la nuit et ne touchera pas Fort Lauderdale! Je me contente d'esquisser un sourire et de hausser les épaules: rien d'étonnant!

Elvis avait été un bon maître, moi un disciple pas si mauvais!

Je vais donc pouvoir profiter à ma guise du soleil, nager, golfer, flemmarder sur la terrasse de quelque café de South Beach!

Je m'applique illico de la 8, la 30, qui est meilleure pour la peau, est trop «efficace» et personne ne vous croit quand vous leur dites que vous revenez de vacances!

Précaution inutile que cette crème!

Car je ne tenais pas compte de l'ordre lancé à l'univers par mon grand ami David Bernard!

Il m'envoie en effet un courriel avec son nouveau manuscrit L'AMOUR SEXSHIP accompagné de la charmante note: «Je vais t'aimer encore même si tu prends plus de 24 heures pour le lire!»

Je regarde le ciel bleu, je regarde mon ordi.

Grand dilemme.

Ne suis-je pas en vacances ?

La curiosité – et mon grand cœur aidant ! – j'ouvre le document, commence à lire, me disant de toute manière que la lecture est le gymnase de l'écrivain !

Immédiatement je suis ravi, et même je m'avoue : « *C'est meilleur que les deux livres que j'ai écrits sur le sujet* : Le Philosophe amoureux *et* Toi et Moi. »

Pourquoi ?

Parce que *L'Amour SEXSHIP* possède cette vertu extraordinaire, étonnante, et plutôt rare sinon tout à fait unique de... VOUS DONNER IMMÉDIATEMENT ENVIE DE « TOMBER EN AMOUR » !

Oui, totalement, mystérieusement, et sans même que vous vous en aperceviez au début, vous avez envie de tomber ou de retomber amoureux.

Vous avez envie de réparer les pots cassés dans votre relation si vous en avez une ou de vous laisser inspirer par la magnifique anecdote que les auteurs rapportent au sujet du regretté Steve Jobs. Jugez-en par vous-même !

Steve Jobs, qui est un peu plus *busy* que le commun des mortels et que moi en tout cas – je ne suis qu'un millionnaire paresseux : il est milliardaire ! – se rend à un important meeting d'affaires. Il gare sa voiture, mais dans le parking, il remarque alors une femme magnifique pour laquelle il a le coup de foudre simple et net.

Ça vous est sûrement arrivé, mais vous avez probablement passé votre chemin. On a tous plein de trucs à faire, on est chargé d'obligations plus importantes que celle de parler à la femme (ou l'homme) de sa vie.

Mais Steve Jobs se dit, et j'en ai encore des frissons tant je trouve ça beau, tant ça devrait être notre programme de vie, et ce, pas juste en amour, mais aussi en amitié et en affaires, mais en amour d'abord, oui, le génial fondateur d'Apple se dit : «*Si je devais mourir demain, est-ce que je préférerais être allé à ce meeting ou avoir parlé à cette femme ?*»

Et bien sûr, il choisit l'amour !

Il choisit de parler à cette femme qui deviendra sa femme et avec qui il aura trois enfants.

Magnifique, non ?

Eh bien, c'est ça *L'Amour SEXSHIP* !

Sexship comme dans partnership !

Parce que, selon les auteurs, et ils démontrent diablement bien leur point ! – le sexe est votre grand partenaire, dans un couple, et si vous le négligez, votre couple ira tôt ou tard à la dérive.

Oui, c'est ça *L'Amour SEXSHIP* et c'est bien plus encore !

C'est LE livre le plus moderne, le plus audacieux, le plus efficace – et aussi le plus drôle et le plus irrésistible ! – pour ceux qui...

- s'aiment encore mais ne font plus l'amour sans savoir pourquoi...
- souffrent dans leurs relations amoureuses...
- se sentent seuls malgré leur succès professionnel...
- se demandent pourquoi l'homme ou la femme de leur vie les a laissés...

- ne savent plus quoi faire pour éviter la séparation... ou qui sont séparés mais s'aiment encore...
- se demandent s'il vaut mieux être pareils ou se compléter...
- veulent comprendre pourquoi les femmes critiquent les hommes : la *vraie* raison !
- cherchent à savoir pourquoi les femmes sont attirées par les *bad boys*...
- désirent rendre un homme romantique, même s'il ne l'est pas au départ, mais alors là, pas du tout !
- souhaitent améliorer leur relation amoureuse en dix secondes...

Mais *L'Amour SEXSHIP,* c'est encore plus que ça.

On y apprend, amusé et étonné que...

- 3 orgasmes par semaine rajeunissent une femme de 7 à 12 ans : moins cher que la chirurgie ou le Botox !!!
- qu'il y a des relations amoureuses des cavernes et d'autres du cœur...
- qu'une hormone nommée ocytocine, déclenchée au moment de l'orgasme, crée un attachement de trois semaines chez la femme, mais de trois jours chez l'homme ! Attention les *fuck friends* : danger !
- que l'énergie sexuelle régit l'énergie du rein qui nourrit l'écoute : pas mauvais à savoir, mesdames, si votre homme ne vous écoute jamais !

    – que le système nerveux de la femme est 56 fois plus sensible que celui de l'homme : si ça lui tape sur les nerfs que vous oubliiez de sortir les poubelles, vous êtes prévenus, messieurs !

    – qu'est-ce que le *sex fizz* ? Fascinant, vous verrez ! On y devient accro en 5 secondes !

Bon, je ne peux vous raconter tout le livre, même si je l'ai raconté à tous mes amis, tant je suis excité.

Vous l'avez entre les mains *anyway*.

« Faire durer l'amour entre deux personnes, c'est un mystère digne de la Caramilk ! », disent non sans justesse et humour les auteurs.

Eh bien en finissant de lire ce livre absolument unique en son genre et follement romantique, on a l'impression qu'on comprend beaucoup mieux ce qui unit – et désunit ! – un homme et une femme.

Mais surtout comme je le disais au début, il a cette incroyable vertu de nous donner envie de tomber ou de retomber en amour avec notre partenaire ou un parfait étranger qui, à l'usage, n'est peut-être pas parfait : relisez le livre !

C'est la grâce que je vous souhaite, car la vie sans amour c'est quoi, pouvez-vous me le dire ?

Bon, je pose la plume, et me propose de faire une petite promenade méditative.

Je jette un coup d'œil par la fenêtre de la pièce minuscule qui me sert de bureau : si je pouvais, j'écrirais dans un placard, mais ça ferait jaser !

Dehors, le temps est couvert. Qu'à cela ne tienne, je me concentre pour dissiper ces nuages intempestifs – ou ma mauvaise humeur !

Que c'est agréable d'avoir – ou de croire qu'on a de l'esprit !

Ça éloigne de nous – ou est-ce le travail ? – les trois maux de la vie, selon Voltaire : la misère, l'ennui et le vice !

Encore une fois, bravo aux auteurs et toi, lecteur, tombe amoureux de ce livre et ensuite, si tu as bien lu et compris, tombe en amour avec ta femme ou ton homme !

Ou les deux, soyons modernes !

MARC FISHER

Avant-propos

« Le couple heureux qui se reconnaît dans l'amour défie l'univers et le temps ; il se suffit, il réalise l'absolu. »

— SIMONE DE BEAUVOIR

Avez-vous déjà vécu des frustrations profondes en couple ?

Vous êtes-vous déjà senti incompris, voire seul, même en compagnie de votre partenaire amoureux ?

Avez-vous déjà souhaité une relation amoureuse et une vie sexuelle plus connectée, complice, épanouie ?

Voici la réponse à vos questions :

L'Amour SEXSHIP, le pont entre l'amour et le sexe, le petit guide du grand sexe et de l'amour. Un mode d'emploi pour les hommes et les femmes qui désirent mieux se comprendre, et surtout, s'aimer passionnément… longtemps !

L'Amour SEXSHIP, c'est l'art de l'intelligence sexuelle, un recueil de stratégies simples pour démystifier les fausses croyances et les nombreux malentendus minant le bonheur du couple, tout en priorisant l'importance de la passion et de l'intimité. C'est une solution pour unifier les deux sexes…

Lorsque les hommes réaliseront les incalculables bienfaits reliés à l'apprentissage des structures internes de la femme. Lorsqu'ils comprendront vraiment les mécanismes secrets qui la régissent, une vie intime riche et passionnée leur sera garantie au-delà de leurs espérances. Gardez une chose en tête, messieurs! Quand une femme est satisfaite et comblée (oui, c'est possible!), tout son entourage en bénéficie : son partenaire, ses enfants, son patron, ses voisins, absolument tout le monde!

De leur côté, lorsque les femmes s'ouvriront à un nouveau modèle, une nouvelle façon d'aborder leur homme, elles pourront jouir d'une vie remplie de soutien, de sécurité et de dévotion de la part de celui qu'elles aiment. Une vie où elles peuvent finalement se sentir comprises, rassurées, comblées, et parfaitement satisfaites. Le tout, grâce à de simples ajustements quotidiens!

L'Amour SEXSHIP a pour but d'amorcer la communication entre ceux qui s'aiment et qui ne font plus l'amour. Il s'adresse aussi aux personnes qui ont souffert à travers leurs relations et qui ne comprennent toujours pas comment faire pour que «ça marche».

Les relations amoureuses sont souvent le théâtre de beaucoup de souffrances inutiles. Ce livre aspire à les dissoudre directement à la source afin de créer une vie intime riche et nourrissante pour les deux êtres qui se sont choisis.

«Tous les chemins mènent à Rome», dit-on! Mais on peut faire le trajet en prenant parfois de longs détours si on néglige d'utiliser de bonnes stratégies de voyage et de bien préparer son itinéraire.

Ainsi, L'Amour SEXSHIP est un livre ambassadeur de l'appréciation mutuelle des genres, basé sur la communication, la compréhension et l'amour. Un chemin direct pour catalyser et amplifier la qualité de votre connexion amoureuse et, par le fait même... sexuelle !

Bienvenue dans l'univers de l'AMOUR avec un grand A : l'Amour SEXSHIP !

Introduction

« Aimer, c'est savourer, au bras d'un être cher,
la quantité de ciel que Dieu mit dans la chair. »

— VICTOR HUGO

Un mot de Chantal

En ce qui concerne les relations amoureuses, tout me fascine, absolument TOUT! Je mûrissais déjà depuis plus de dix ans les mots et les concepts de *L'Amour SEXSHIP*. Toutefois, au début, ils grandissaient en moi sans même que j'en sois consciente.

Mon parcours des dernières années fut en majeure partie axé sur la quête de réponses à cette question, entre autres :

Qu'est-ce qui fait que ça fonctionne ou non entre un homme et une femme ?

En contrepartie, je voulais aussi découvrir quels étaient les pièges, les paroles et les actions qui, à moyen et long terme, finissent par miner et détruire une relation ?

Après avoir vécu la rupture la plus pénible de ma vie, je me suis dit que plus jamais je ne souffrirais autant et je me suis fait cette promesse : avant de m'engager dans une nouvelle relation amoureuse, j'allais comprendre ce qui s'était passé dans la précédente.

Pourquoi l'homme de ma vie m'avait-il laissée?

Après d'innombrables fins de semaine passées seule à effectuer des recherches, j'ai enfin trouvé des réponses à mes questions. Des réponses parfaites pour m'éclairer et apaiser mes souffrances. Plus j'étais en paix avec moi-même, plus je me rapprochais de ma liberté!

Dans ce livre, je vous partage le fruit de mes recherches, expériences, et observations. Mon souhait le plus cher est que vous trouviez VOS PROPRES RÉPONSES au fil de votre lecture.

Chose certaine, il est possible à mon sens de se libérer des angoisses quotidiennes, des projections qui nous emprisonnent, et surtout, de vivre aux côtés de la personne qui nous AIME et nous MÉRITE.

Pendant plus d'une décennie, j'ai dédié ma vie à chercher ces réponses grâce à la formation continue, l'observation et l'expérimentation sur le terrain. Il me fallait des preuves tangibles pour écrire ce livre.

Je puis affirmer maintenant que la vie sourit aux audacieux, car au cours de mes recherches et expériences, une quantité impressionnante de subtilités et de conceptions amoureuses m'ont été servies sur un plateau d'argent! Pas de doute, l'univers conspirait en ma faveur!

À mes débuts, je me suis d'abord consacrée à tester mes théories dans ma propre relation et je fus grandement étonnée des résultats! Ça fonctionnait à merveille. NATURELLEMENT. Je vivais de plus en plus d'affinités et d'intensité amoureuse. J'avais réussi à faire le premier pas, c'est-à-dire d'appliquer de manière appropriée mes stratégies relationnelles dans ma vie de couple...

En pratiquant l'Amour SEXSHIP avec mon amoureux du moment, j'avais ouvert une porte et j'y percevais une partie de moi qui, jusque-là, était demeurée inexplorée. Je découvrais un tout nouveau terrain de jeu!

Les jours passaient et je constatais que les moments où je pouvais être complètement moi-même et me mettre à nue (pas nécessairement sans vêtements), étaient de plus en plus fréquents!

Quelle découverte!

Enfin, grâce au dialogue SEXSHIP, j'étais touchée comme j'avais toujours rêvé de l'être, embrassée comme j'aimais vraiment être embrassée, écoutée comme j'avais besoin d'être écoutée!

Je savourais une telle plénitude!

Faire l'amour se métamorphosa progressivement en un acte magique et sacré. Je peux vous assurer que, grâce à cette connexion, jamais je n'avais eu autant de plaisir au lit!

C'était enfin à mon tour d'en (de!) jouir…

Je communiais pour la première fois avec une partie en moi plus grande que moi… Je rencontrais à travers ma relation ma propre divinité, la déesse en moi.

D'ailleurs, n'est-ce pas ce que les gens disent au moment de l'orgasme, et ce, dans toutes les langues du monde, lorsqu'on atteint le septième ciel: «*Oh my God! Oh, mon Dieu!*» Dans toutes les langues du monde, ce sont souvent les mots prononcés lorsque l'on atteint le septième ciel, n'est-ce pas!

Toujours décidée à faire une différence dans la vie des couples qui cherchent à s'aimer mieux, je commençai à offrir du coaching et de la consultation personnelle. Enfin, j'étais au front, sur la ligne de feu, là où ça brassait!

Je réussis bientôt à attirer une clientèle constituée de couples en difficulté ou carrément séparés, mais prêts à faire une dernière tentative pour sauver les meubles *in extremis*.

L'utilisation des outils SEXSHIP était si efficace que les réconciliations étaient, dans la majorité des cas, rapides et harmonieuses, voire MIRACULEUSES. Et ce qui était encore mieux, c'est que mes clients témoignaient atteindre de nouveaux sommets amoureux après m'avoir consultée.

Pour parfaire ma capacité à prodiguer ces enseignements, je pris la décision de suivre une formation à Hawaï aux côtés du réputé Dr Ihaleakala Hew Len, héritier de la méthode Ho'oponopono.

J'avais maintenant un nouveau défi à relever, avec autant de cadeaux et d'émotions fortes à canaliser, ma seule priorité, ma magnifique obsession, était de transmettre cette formule magique au maximum de gens possible…

Ce livre est né surtout grâce à une rencontre divinement orchestrée !

Dans ma pratique spirituelle quotidienne, j'utilise une technique appelée Ho'oponopono (pour en savoir davantage, consultez le livre *Zéro Limite* de Joe Vitale et Ihaleakala Hew Len). Cette méthode m'aide à rester calme, centrée et à l'écoute de mon intuition.

La période où j'ai entamé l'écriture du manuscrit fut mémorable ! Ce matin-là, j'étais à mon bureau et je tentais tant bien que mal de générer de nouvelles affaires. Étant donné mon taux d'efficacité très élevé, je subissais d'une certaine façon le défaut de ma qualité : tous mes clients étaient heureux et en amour.

Habituellement, je travaille beaucoup par recommandation, mais à cette époque, pour une mystérieuse raison, c'était le calme plat depuis quelque temps.

Pour faire bouger les choses, j'avais donc fait l'exercice de me poser la question suivante : « *Quelle valeur ai-je à offrir ?* » J'essayais de rester ouverte à d'autres possibilités ou suggestions, mais tout ce que j'entendais était : « *SEXSHIP, Chantal, tu dois transmettre le message d'Amour SEXSHIP !* »

Quand on perçoit des signes, des indices pour progresser, c'est à nous de décider ensuite ce que nous en ferons. Le libre arbitre est une grande richesse chez l'être humain !

C'est donc à ce moment-là que je pris la décision d'entreprendre la rédaction de cet ouvrage. Le matin même du grand commencement, je pris quelques minutes pour lire mes courriels. Parmi eux, j'avais un message non lu, une infolettre de DAVID BERNARD !

Pour être tout à fait honnête, bien que je me sois inscrite pour les recevoir, jamais je ne prenais le temps de lire ses écrits mensuels. J'émettais d'ailleurs certains jugements sur lui :

« Il est trop beau pour avoir de la substance, superficiel, c'est un beau parleur ! »

Et pourtant, ce matin-là, comme mon intuition me le dictait, je m'accordai un moment pour prendre connaissance du courriel en question et je lus son message…

Quelle ne fut pas ma surprise de découvrir en lui une personne diamétralement à l'opposé des jugements que j'entretenais à son égard ! Si je me fiais à ma grande intuition, cette dernière m'incitait vivement à lui écrire. Évidemment, ma voix de la raison me répétait haut et fort, quant à elle, que j'étais folle, que c'était mieux d'oublier ça... Pour quelle raison est-ce que je lui écrirais ? Mais ma voix de l'intuition criait encore plus fort !

Étant une femme qui suit ses intuitions, je pris soin de fouiller davantage la question en cherchant à savoir qui était vraiment ce personnage. Était-ce un homme de CŒUR, intègre, vrai ?

Plus j'approfondissais mes recherches sur Internet, je découvrais son site Web, son livre *Ralentir pour Réussir*, plus j'aimais et appréciais son travail, sa présentation et son intention. Pour le résumer simplement, David m'était de plus en plus sympathique !

Et, de fil en aiguille, je pris contact avec lui pour le rencontrer et lui présenter mon bébé... tout en lui faisant passer un test incognito !

En fait, le partenaire que je recherchais pour m'aider à accomplir ma mission devait à la fois :

Être emballé par le concept SEXSHIP.

Être familiarisé avec la méthode Ho'oponopono.

Être un homme de cœur, et surtout...

Être à la hauteur du message que nous souhaitions présenter au monde !

Sans le savoir, j'avais enfin trouvé MONSIEUR SEXSHIP...

The rest is history.

✍

Un mot de David

Je me rappelle encore ces mots qui résonnent dans mon esprit :

« David, que veux-tu ATTIRER dans ta vie en ce moment ? »

Voilà la question de ma coach littéraire après m'avoir écouté énumérer pendant plus de trente minutes toutes les options possibles au sujet de mon prochain et second livre.

Cette question m'avait d'abord frappé… *Qu'est-ce que je veux ATTIRER dans ma vie ?* C'est important ici de replacer le fait dans son contexte. À peine trois années plus tôt, elle m'avait posé exactement la même question et je lui avais répondu alors :

« Une carrière, de la crédibilité et de l'abondance financière, beaucoup d'abondance ! »

Ma réponse l'avait bien fait rire ! Et en moins de trois ans, avec mon tout premier livre *Ralentir pour Réussir*, j'avais relevé le défi, j'avais gagné le pari, celui de me créer une vie professionnelle à la hauteur de mes attentes et de mes désirs les plus fous.

Je faisais à présent partie de l'équipe des gens qui réussissent dans la vie !

En trois ans, j'étais devenu David Bernard, le conférencier professionnel ultrasollicité, LE coach de vie pour atteindre sa liberté, l'auteur d'un best-seller publié au Québec et distribué en Europe. Mais aussi une personnalité de la télé qui porte une valise à l'émission *Le Banquier*, qui fait des reportages pour l'émission d'été *Sucré Salé,* ainsi que des capsules de croissance personnelle à l'émission *Qu'est-ce qu'on attend pour être heureux ?* aux côtés de Christine Michaud.

En peu de temps et grâce à beaucoup de travail stratégique, la chenille avait réussi à briser son cocon et à se transformer en papillon pour prendre son envol dans un monde rempli de beautés et de défis...

Mon ami Jerry Lewis Remillard (oui, c'est son vrai nom!) m'a souvent répété ces sages paroles:

«*Be careful what you wish for, my friend, cause you might get it!* [Fais attention à ce que tu demandes, mon gars, car la vie va peut-être le placer sur ton chemin!]»

Et il avait bien raison ce Jerry. J'ai compris, il y a un bon moment déjà, que j'avais cessé de rêver ma vie pour commencer à vivre mon rêve... Quelle prise de conscience! Cependant, il me manquait quelque chose d'important, voire d'ESSENTIEL...

Évidemment, la vie professionnelle c'est une chose, mais la vie personnelle, amoureuse, c'en est une autre... Ce volet si primordial à mes yeux évoluait, mais pas comme je le souhaitais. Et pour être tout à fait franc, ça me faisait terriblement souffrir!

Après m'être hissé au sommet, j'avais vécu une séparation extrêmement pénible. Deux ans plus tard, je naviguais toujours dans un brouillard amoureux, seul sur mon navire (j'exclus bien sûr ici les haltes à certains ports de plaisance, mais bon, s'amarrer pour un moment passager, ce n'est pas jeter l'ancre pour le meilleur et pour le pire!).

Quelle ironie! me disais-je, *avoir autant de succès dans ma vie professionnelle et être si SEUL pour le partager dans ma vie intime.*

Comme tant d'autres êtres humains modernes, j'éprouvais une grande solitude et je vivais dans un isolement amoureux douloureux...

Je veux trouver attirer l'amour véritable et Connaître passionnel

Quand on y pense, c'est très paradoxal, car nous sommes aujourd'hui dans une société contemporaine qui nous offre de multiples outils pour rester «connectés» : BlackBerry, iPhone, textos, courriel, Internet, Facebook, Twitter, journaux, magazines, radio, télé…

Pourtant, qu'ils en soient conscients ou non, la plupart des gens se sentent complètement déconnectés des autres et d'eux-mêmes. C'est plutôt con, non ?

Comment expliquer ce phénomène ? Tant d'options et tant de possibilités pour créer des liens sont présentes, et ce qui prévaut le plus souvent, c'est ce sentiment de vide intérieur ! Parfois, on peut être bien entouré, et pourtant se sentir encore si SEUL au tréfonds de soi.

C'était justement mon cas, cher lecteur ou chère lectrice, une lancinante sensation d'être seul au monde était fréquemment ancrée en moi ! Et ma coach qui me regarde de ses grands yeux perçants, un petit sourire narquois au coin des lèvres en me demandant ce que je veux attirer dans ma vie ?

C'est à ce moment précis que j'ai su. J'ai compris quelle était la prochaine étape, ma nouvelle mission :

Aider les autres à trouver l'amour
en commençant par m'aider MOI-MÊME !

En toute humilité, je dois admettre que j'en connais bien peu sur le grand mystère de la vie ; mais s'il y a une chose dont je suis certain à mon sujet c'est que, comme auteur, j'écris très souvent pour m'autoguérir, pour m'«autocoacher», si on veut.

Et de la même manière que j'avais attiré le succès dans ma vie grâce à mon premier ouvrage, j'allais attirer l'amour grâce au second ! Pari audacieux, me direz-vous ! Audacieux, certes, mais pas impossible…

Après avoir pris cette décision cruciale, j'ai entamé un gigantesque travail de recherche sur l'amour, la séduction, le charme, le couple, le sexe, sur ce qui fait vibrer une femme comparativement à ce qui fait vibrer un homme.

J'ai lu les meilleurs auteurs sur le sujet, discuté avec des spécialistes en la matière. J'ai littéralement démystifié l'alchimie de l'amour afin de l'appliquer dans ma propre vie pour obtenir des résultats concluants, et vous en expliquer ensuite la recette distillée.

Curieusement (ou pas), pendant cette période, un nombre troublant de synchronicités se sont manifestées dans mon quotidien. C'est d'ailleurs à ce moment que j'ai fait la connaissance de Chantal, la coauteure de ce livre, une femme absolument EXTRAORDINAIRE. L'univers opérait sa magie.

Lors de mes conférences, j'aime bien répéter que, quand on fait un pas en avant, la Vie (Dieu, Jésus, Allah, Bouddha, Krishna, l'inconscient, l'Intelligence universelle, comme vous voulez l'appeler) en fait toujours deux pour nous encourager et nous soutenir dans notre quête personnelle... Il faut d'abord faire le premier pas en signe de foi!

Quand on fait un pas en avant, la vie en fait deux pour nous aider à être heureux...

Après un laps de temps pourtant relativement court, je suis fasciné d'observer et réaliser à quel point la vie m'a récompensé sur tous les plans... surtout celui où je souhaitais sincèrement voir se manifester des résultats.

Je peux aujourd'hui vous écrire, ému par un immense sentiment de gratitude, que j'ai fait de grandes prises de conscience quant à la vie de couple et ce que ça représente pour moi. Je me sens maintenant prêt plus que jamais, bien outillé pour la prochaine étape de mon évolution amoureuse ! Non pas que je me considère comme meilleur ou plus intelligent que vous, mais bien parce que j'ai appris comment faire !

Au cours de ce livre, je vais vous enseigner comment je m'y suis pris ! Puis ce sera à vous de jouer pour apprendre, comprendre, et mettre en application la formule !

Voilà, vous êtes maintenant invité, cher lecteur, et conviée aussi, chère lectrice, dans un monde fantastique, un monde que j'ai progressivement accueilli et intégré dans ma propre vie : le monde de l'Amour SEXSHIP !

Dans cet univers exceptionnel, si toutefois vous acceptez l'invitation, vous verrez que l'amour véritable et passionnel existe. Dans ce monde, la relation entre l'homme et la femme est si simple, facile et légère, qu'elle tient du divin… C'est littéralement une RÉVOLUTION AMOUREUSE !

Je ne donne jamais de conseils, j'exprime seulement mon opinion. Mais avant d'entrer dans le vif du sujet, permettez-moi de vous suggérer ceci : Ouvrez votre cœur aux concepts présentés dans ce livre.

Peu importe où vous en êtes dans votre existence, ils ont le potentiel de syntoniser votre esprit à un monde de possibilités et d'opportunités pour créer une relation amoureuse bien au-delà de vos rêves les plus fous…

Le train quitte la gare… vous le regardez partir ou vous y montez ?

⁓

« *La conn[...]*
l'intimité sont à la source [...]
de ce qui nous garde en santé. Je ne connais aucun [...]
facteur qui a un plus grand impact sur notre qualité de
vie, incluant la médecine, l'alimentation, et l'exercice. »

— DR DEAN ORNISH

Le terme SEXSHIP a d'abord pris forme à la suite
d'un QUESTIONNEMENT :

Pourquoi y a-t-il tant de couples qui s'aiment, mais
qui ne font plus l'amour ? Et s'ils étaient tout simplement
MAL INFORMÉS sur le sexe opposé ?

Ce concept a pour but de créer un mouvement qui
élève la conscience personnelle et collective sur la
portée de l'amour dans l'acte sexuel. C'est un rappel de
l'importance de reconnaître notre besoin d'érotisme
dans notre vie.

Plus que tout, nous souhaitons rendre à la sexualité sa juste place, soit un acte SACRÉ entre deux personnes qui s'aiment, qui se sont choisies, qui sont
engagées à s'investir et qui souhaitent vivre une relation
à long terme. Bref, deux personnes qui vont dans la
même direction !

Avec SEXSHIP, vous apprendrez, entre autres à :

Engager la conversation sur le sexe, son pouvoir et ses demandes. Être honnête une fois pour toutes et reconnaître l'effet que le sexe peut exercer sur nos pensées et nos gestes.

Comment jouir d'une sexualité plus épanouissante par l'entremise d'une meilleure connexion avec votre partenaire ? Croyez-le ou non, il est possible de modifier la dynamique du couple en changeant la dynamique sexuelle (et le tout avec respect).

Mettre l'érotisme en priorité. Qui dit érotisme dit combinaison d'amour et de sensualité, et le sexe sans sensualité reste vulgaire. L'érotisme, c'est le principal facteur qui vous définit comme couple. Pensez-y un moment. Vous pouvez bâtir une entreprise avec un partenaire, élever des enfants avec lui ou elle, partager une multitude de moments magiques avec cette personne…

Mais les facteurs primordiaux qui définissent réellement un couple comme étant un vrai couple (selon nous), c'est l'érotisme et la sexualité échangés entre les partenaires.

On peut décrire le couple de plusieurs façons, mais en fin de compte, ce qui crée la connexion, c'est le sexe et l'érotisme. Un couple sans sexe ce n'est pas un couple, c'est un engagement semblable à un accommodement raisonnable où les deux parties ne gagnent qu'en surface. En finale, les besoins restent non comblés, personne n'est véritablement satisfait, encore moins heureux !

Réaliser que le succès de la méthode SEX-SHIP ne peut évoluer que dans une relation monogame. Oui, ce point est dérangeant pour certaines personnes, voire choquant ! Il crée l'impression de nous dérober à une option, celle de butiner ! En réalité, notre objectif est justement de vous libérer d'une illusion et de vous éclairer sur une vérité :

Butiner d'une personne à l'autre nécessite une certaine conscience de ses gestes et d'en accepter la responsabilité. Chose certaine, il y a un prix à payer. Nous sommes responsables de ce que nous apprivoisons.

Tout est une question de perception, mais encore une fois selon nous, pour avoir accès au SEXE SUPÉRIEUR, il faut être prêt à s'engager totalement envers une seule personne.

Vous est-il déjà arrivé de coucher avec quelqu'un et, une fois l'acte terminé, de vous sentir VIDE ?

Prenons l'exemple d'une personne qui veut combler ses besoins en eau et qui décide de s'abreuver à une source pour se désaltérer. Il est toujours possible pour elle de rester en surface et de boire une eau remplie de particules en suspens et d'impuretés. Mais pour avoir accès à une eau claire et propre, il est impératif de creuser en profondeur. Plus le puits sera profond, plus l'eau sera pure…

Par analogie, le parfum est plus riche et de meilleure qualité qu'une eau de toilette. C'est toujours une question de priorité, mais en vérité, la qualité va toujours primer sur la quantité en amour. Ainsi, pour ceux qui cherchent à étancher leur soif en creusant plusieurs trous en surface, leurs attentes sont basées sur des paramètres et standards bien différents.

Si vous cherchez à dresser un palmarès de conquêtes, ce livre n'est pas pour vous ; et si vous n'êtes pas prêt à vivre une vie intime riche, la relation monogame sera plutôt médiocre pour vous. N'y pensez même pas et faites une croix sur le concept de l'Amour SEXSHIP.

Mais si vous souhaitez la totale, notre modèle propose une connexion intellectuelle, émotionnelle, sensuelle et sexuelle, le tout en simultanée : TÊTE, CŒUR, CORPS ! Et cette connexion ne peut se créer autrement qu'avec une relation monogame et engagée…

Comprendre qu'une relation n'a pas à devenir ennuyeuse ou répétitive à travers le temps, même si on choisit la monogamie. Ce livre vous offre, entre autres, des suggestions pour garder votre vie intime chaude et excitante, tout en la protégeant de la monotonie.

Faire une juste place à la romance et l'érotisme, deux facteurs essentiels et trop souvent délaissés en raison de la familiarité. Vous savez, cette manière familière de se comporter à l'égard de quelqu'un qui fait en sorte que l'on tient souvent pour acquises les choses et personnes dont on est physiquement proche pendant une certaine période de temps ?

L'habitude, la routine, le manque de temps, la fatigue et surtout le manque de conscience en sont des produits dérivés. Si les partenaires laissent la familiarité faire son œuvre, la passion risque malheureusement de s'éroder…

Si on comprend dès maintenant l'importance de la romance et de l'érotisme comme priorité au sein du couple, on prévient les problèmes de connexion.

Outiller vos enfants au sujet d'un aspect négligé dans notre modèle d'éducation, afin de les aider à choisir leur partenaire et à vivre une relation amoureuse HARMONIEUSE le moment venu.

Établir un pont entre les hommes et les femmes, et leurs différences dans la relation. Créer une harmonie et favoriser un rapprochement dans le couple en faisant l'amour plus consciemment, plus souvent et plus longtemps. Voilà notre mandat!

Oui, certaines personnes clameront haut et fort que le sexe peut parfois être utilisé comme échappatoire, qu'on peut «baiser» pour fuir la réalité. À l'opposé, *L'Amour SEXSHIP* invite à la conscience…

Une fois la porte ouverte, on ne peut retourner en arrière. Ayant connecté avec un autre niveau de conscience, on SAIT… L'acte d'amour est finalement reconnu comme important, c'est la porte vers un couple uni.

Et c'est très puissant!

Pourquoi SEXSHIP?

L'expérience SEXSHIP, c'est un enrichissement, une prise de conscience, une déconstruction de croyances limitatives, un catalyseur de progrès amoureux. Tous les aspects de votre vie bénéficieront littéralement de son utilisation!

Comme le disait si bien Aristote, l'intemporel philosophe de la Grèce antique : «*Prends soin de ton physique et ton esprit s'élèvera.*»

Dans la culture chinoise, plusieurs personnes canalisent l'amour dans l'acte sexuel pour se guérir! En utilisant l'énergie de l'amour dans sa forme physique, on apaise et ajuste notre esprit vers un niveau de conscience plus élevée…

Sachez que ce livre a vu le jour en majeure partie grâce à la souffrance qui découlait de nos échecs amoureux. C'est vrai, nous sommes tous deux bien loin d'être parfaits. Comme tout le monde, nous avons nos défis amoureux à relever.

Nous avons pris la décision de suivre le chemin de *L'Amour SEXSHIP* que nous enseignons, en faisant du mieux que nous le pouvons, et ce, chaque jour de notre existence.

Aujourd'hui, le seul fait d'observer des couples qui s'aiment, mais qui se sont éloignés pour diverses raisons, qui n'ont plus d'intimité et qui ne font plus l'amour, nous attriste au plus haut point.

Nous souhaitons tous deux contribuer à votre bonheur, votre plaisir et vous enseigner une vérité fondamentale :

Faire l'amour est un acte sacré qui revêt de multiples bienfaits.

Comme nous vous le précisions précédemment, il n'est pas souhaitable d'être en relation de couple avec une personne SANS faire l'amour avec elle, sous prétexte que votre amour s'est étiolé. Si c'est votre cas, gardez confiance, la flamme peut être ravivée. Muni de ce guide, vous apprendrez rapidement comment renverser la situation !

En prime, ce livre améliorera votre santé, votre vitalité, votre niveau d'énergie et l'ouverture de votre conscience au quotidien. En faisant l'amour plus souvent avec abandon et passion, vous jouirez de bienfaits physiques, émotionnels et énergétiques. Votre santé en sera littéralement revitalisée, votre pression artérielle diminuera, l'état de votre cœur s'améliorera, votre peau se tonifiera, et bien plus encore…

Selon l'expert américain en fitness sexuel, Billy Sunday Mars, une femme qui atteint l'orgasme 3 fois par semaine avec son partenaire profite assurément d'un rajeunissement variant de 7 à 12 ans ! Pour monsieur, sa

Je veux aimer et être aimé !

vie s'en trouve prolongée d'environ 3 ans. INCROYABLE, non !

Prenons l'exemple de la personne typique frustrée sexuellement (ou encore celle qu'on qualifie familièrement de « mal baisée ! »). Bien souvent, on la reconnaît par sa mine basse, ses traits sévères, et son caractère impatient. C'est évident, elle ne profite pas des bienfaits du sexe supérieur. Son corps tendu et prématurément vieilli en est la preuve vivante !

Jusqu'au jour où cette même personne rencontre un partenaire qui la fait chavirer, qui prend véritablement soin d'elle et qui lui fait « l'Amour ». Elle se régénère alors grâce à l'énergie de l'amour transmise à travers cette connexion vivifiante, pendant l'acte sexuel. En très peu de temps, sa sexualité retrouvée, elle devient méconnaissable, métamorphosée par les feux de l'amour…

On croirait qu'elle s'est fait faire un lifting ou qu'elle a entrepris un nouvel entraînement ou opté pour une diète équilibrée. Elle rayonne ! Ne cherchez pas plus loin, la réponse est des plus simples… Marvin Gaye le chante avec brio : « Sexual Healing – le sexe guérit, baby » !

Le sexe avec amour, ce n'est pas seulement bon pour la santé… ça fait RAJEUNIR !

L'équation SEXSHIP

Le modèle SEXSHIP est d'abord basé sur une équation simple, mais puissante. Il repose sur la prise de conscience que chacun de nous a les mêmes besoins fondamentaux :

AIMER ET ÊTRE AIMÉ !

Jusqu'ici ça va. En fait, la situation se complique souvent en raison d'une autre vérité tout aussi importante, mais souvent négligée :

On ne peut aimer vraiment ce qu'on ne comprend pas...

Voici donc l'équation au cœur de SEXSHIP :

SEXSHIP =
COMPRÉHENSION + COMPASSION ➡ AMOUR

La compréhension

Regardons les choses de manière objective. Tant et aussi longtemps qu'on ne comprend pas vraiment son partenaire, ses motivations profondes, ses peurs, ses rêves et aspirations, on est plutôt mal outillé pour l'aimer sincèrement, dans sa lumière et ses parts d'ombre !

En fait, on aime l'idée qu'on se fait de cette personne ! C'est un mélange doux-amer d'illusions, de projections, d'imagination, et de réalité modifiée ! Ce modèle n'est tout simplement pas viable à moyen et long terme. Vous le savez, non ?

Il est donc essentiel de connaître d'abord réellement son partenaire pour le comprendre. À partir du moment où les illusions tombent, où la vérité sur qui on est véritablement fait surface, la vulnérabilité des deux partenaires est accueillie et reconnue.

De cette ouverture du cœur naissent les relations les plus vraies, les plus profondes. Pensez aux personnes que vous aimez et appréciez le plus dans votre vie... Ce sont TOUJOURS ceux qui vous connaissent le mieux, ceux qui connaissent votre vulnérabilité et savent en prendre soin, la PROTÉGER !

De cet espace sacré naît par la suite la compassion qui permet l'amour… le VRAI, le GRAND !

Certains cyniques s'amusent parfois à ridiculiser l'importance de la compassion en s'appuyant sur des affirmations comme : «*La compassion, c'est pour le dalaï-lama*», ou des trucs du genre ! Ou encore que : «*Ce n'est pas VRAIMENT un "prérequis" pour créer une relation sincère et profonde*». ERREUR !

Au contraire, nous sommes persuadés qu'une fois l'étape du charme et de la séduction initiale dissipée, nous revenons toujours aux besoins essentiels d'aimer et d'être aimé pour l'être que nous sommes VRAIMENT…

Il est toujours possible de faire l'amour sans amour et sans connexion, c'est chose courante pour la majorité des gens.

Woody Allen disait : «*Le sexe sans amour est une expérience vide…*»

Reste que, au bout du compte, chacun désire se sentir compris, accueilli et reconnu par son partenaire. Et, pour ce faire, la compréhension et la compassion sont des ingrédients émulsifiants essentiels ! Voici un exemple de la magie que ces éléments peuvent créer…

Le premier orgasme de Chantal

Il y a quelques années, j'étais en couple avec Philippe, un homme que j'adorais profondément… Nous étions à ce point amoureux qu'il m'avait d'ailleurs fait la grande demande en mariage…

Philippe aimait sans limites, il était généreux, sensible, conscient, à l'écoute, un grand homme, quoi ! Plus que tout, il avait beaucoup de compassion, ce qui lui permit de m'offrir mon tout premier orgasme !

J'avais à l'époque 39 ans et je n'avais jamais joui! Jamais, *nada, niet*! En ce qui me concerne, je ne croyais pas pouvoir atteindre l'orgasme, c'était réservé aux autres. Paradoxalement, je désirais corps et âme vivre cette expérience mystique, mais je m'étais résignée à ne jamais y goûter. Ça me semblait tout simplement inaccessible.

Après nos premiers ébats amoureux, je ressentais à quel point mon partenaire était un amant doux et passionné qui voulait me faire plaisir et me satisfaire totalement. Sensible comme il était, il avait tôt fait de remarquer par mes questionnements insistants que je n'arrivais pas à jouir…

En fait, j'étais très curieuse au sujet de sa propre expérience de jouissance: les sensations qu'il éprouvait, ce que c'était, ce qu'il ressentait, comment il faisait pour savoir qu'il avait joui? C'est alors que l'équation SEXSHIP commença à opérer sa magie…

Il ne faut jamais sous-estimer le pouvoir de la compassion en amour. Grâce à sa ténacité, son dévouement et sa patience, Philippe réussit ce qui était à mes yeux impossible…

À 39 ans, j'ai joui pour la toute première fois de ma vie! Entre vous et moi, je suis devenue complètement folle de joie et d'amour pour cet homme. Je le percevais maintenant complètement différemment! Il était devenu mon HÉROS…

Mesdames, il n'est JAMAIS TROP TARD pour s'ouvrir à la jouissance.

Ce livre est doté du pouvoir d'enseigner à votre homme comment s'y prendre pour vous faire monter au septième ciel… Non pas par des figures et des postures (bien que ça puisse aider), mais en développant de nouvelles compétences. En choisissant une attitude progressive d'ouverture et de curiosité, il développera la capacité de vous comprendre.

Une fois cet espace trouvé, les grandes portes du royaume de l'extase s'ouvriront devant vous… et ce sera le début de votre seconde lune de miel.

C'EST GARANTI !

La compassion

Aujourd'hui, beaucoup de frustrations, voire de séparations, naissent de malentendus reliés à des manques de communication. Malentendus qui pourraient être complètement neutralisés par de la compassion ! Portez bien attention à la phrase suivante :

La compassion détient le pouvoir de littéralement changer le plomb en or ! C'est une partie subtile qui permet d'accéder à notre essence profonde et d'accueillir celle de notre partenaire.

En délaissant le masque, l'image, la projection que nous envoyons au monde de nous-même, nous permettons à la partie la plus vraie en nous, notre essence profonde, d'émerger. En contrepartie, s'ouvrir progressivement à son partenaire demande beaucoup de courage, car cela implique de montrer sa vulnérabilité, sans carapace ni armure.

Chose certaine, le jeu en vaut assurément la chandelle. Une des récompenses majeures de cette ouverture, de ce lâcher-prise, c'est l'érotisme…

Vous voulez INTENSIFIER votre pouvoir orgasmique ? Apprenez à laisser aller la partie qui essaie de tout contrôler !

Nous parlons ici d'amour naturel, une danse facile entre l'homme et la femme qui désirent non seulement vivre une vie amoureuse riche et satisfaisante, mais aussi (et surtout) libre de souffrance et de malentendus…

Trop souvent, nous laissons les malentendus initialement petits se métamorphoser en bêtes gigantesques. Pire, nous les entretenons et les nourrissons jusqu'à se retrouver avec un éléphant dans la chambre à coucher! Il devient alors impossible d'ignorer l'évidence : quelque chose ne fonctionne pas!

Et ce « quelque chose », c'est l'incapacité d'exprimer clairement qui on est à travers la relation.

Le défi

Rassurez-vous, à chaque problème sa solution! La majorité des conflits amoureux modernes peuvent être réglés avec des outils simples. Il faut toutefois apprendre à les utiliser efficacement. Le succès d'un menuisier repose sur deux aspects : la qualité de ses outils ET sa capacité à les utiliser.

Selon notre expérience, si on donne de bons outils aux couples et du temps pour apprendre à les appliquer et les maîtriser, ils obtiennent habituellement des résultats sensationnels…

L'enjeu ici est d'apprendre à bâtir une vie de couple qui permet la croissance des deux individus. Plus la compréhension et la compassion sont présentes, plus les partenaires amoureux seront en mesure de laisser le meilleur d'eux-mêmes émerger.

Une relation reposant sur ces bases est comparable à un investissement bien placé, elle prendra continuellement de la valeur…

Curieux d'en apprendre davantage ?

Ne mettons pas la charrue devant les bœufs. Bien avant l'amour à deux, il y a l'amour de soi ! La relation la plus importante que vous aurez à développer au cours de votre vie, c'est avec vous-même…

SEXSHIP =
COMPRÉHENSION ➻ COMPASSION ➻ AMOUR

Chapitre 2

Le célibat

« Il vaut mieux aller plus loin avec quelqu'un
que nulle part avec tout le monde. »
— Pierre Bourgault

Ah le célibat! Bonheur pour certains, adversité pour d'autres, le célibat ne laisse personne indifférent… surtout quand on est soi-même célibataire!

Pour plusieurs, le célibat représente d'abord la solitude (souvent subie plutôt que choisie). C'est une période, un statut où l'on vole en solo, où on est seul aux commandes. Certains sont joyeux de piloter où bon leur semble quand bon leur semble, tandis que d'autres sont profondément accablés et perdus quand leur copilote amoureux disparaît pour une période indéterminée. Tout dépend de votre tempérament!

Ainsi, avant d'aborder les concepts fondamentaux de la vie harmonieuse à deux, nous vous proposons donc de revenir à l'essentiel: VOUS!

Peu importe à quel point vous avez pu être blessé par le passé, peu importe à quel point vous souffrez actuellement, il existera toujours en vous une partie qui désire l'amour et la connexion. C'est d'ailleurs cette même partie qui vous pousse à vous relever d'une peine d'amour, à faire preuve de foi et courage, et à continuer votre recherche de la perle rare.

Peu importe ce que votre mental rationalisant pourra vous raconter, cette partie sera toujours plus forte que la douleur et la peur. L'amour est à ce point puissant !

Mais où donc se cache l'AMOUR ?

Vous cherchez l'amour, mais n'arrivez pas à le trouver ? Vous en avez marre d'être célibataire ? Ça ne fonctionne pas exactement comme vous le souhaitez, comme vous en rêvez ?

Gardez espoir, tout est encore possible ! Évidemment, notre mission n'est pas de vous vendre du rêve, non ! Nous vous proposons plutôt une nouvelle manière de faire (avec mode d'emploi), qui amplifiera vos chances d'attirer à vous le partenaire idéal !

Notre mandat est essentiellement de stimuler une prise de conscience en vous qui favorisera une évolution vers votre statut rêvé ! Plus encore, le message de ce chapitre est d'abord et avant tout que vous MÉRITEZ l'amour bien plus que vous ne pouvez l'imaginer !

Mais parfois, comme avec un petit animal sauvage, tenter de capturer une relation grandiose n'est pas la meilleure option. C'est en fait plus simple et plus facile de la laisser venir à nous, de l'attirer, de l'apprivoiser…

Vous cherchez l'amour ? Bonne nouvelle, l'amour vous cherche aussi de son côté ! La personne idéale pour vous est en ce moment à votre recherche…

Ainsi, pour l'attirer, gardez en tête que l'amour recherche la vérité et l'honnêteté, l'amour est attiré par l'authenticité ! L'amour répond à la compassion, l'ouverture et la profondeur. L'amour ne connaît pas de limites, n'a ni âge ni barrières. L'amour vous connaît, il n'attend que VOUS…

« *Mais où donc se cache-t-il cet amour ? Je le cherche partout et je n'arrive pas à le trouver nulle part !* » Voilà ce que vous vous dites sur un ton exaspéré avec un long soupir de découragement ! Rassurez-vous, l'amour est tout près ! Mais attirer l'amour nécessite de la pratique occasionnelle et un peu de préparation intérieure (parfois extérieure aussi).

Quand on s'apprête à accueillir un invité très important, il est normal de faire quelques préparatifs afin d'assurer une célébration réussie. Ainsi, question de vous préparer à recevoir l'amour dans votre vie, voici quelques points essentiels qui feront une GRANDE différence…

Aimez-vous et prenez soin de vous

En amour, comme dans la vie, la personne la plus importante, c'est d'abord VOUS, puis les autres. Il est impossible de recevoir d'autrui ce que l'on ne s'accorde pas à soi-même. On ne peut pas donner ce que l'on n'a pas !

Si vous rêvez de vivre l'amour avec un grand A, nous vous encourageons à cultiver l'amour en vous, même les parties de vous que vous n'aimez pas encore… afin de tomber (ou retomber) amoureux de vous…

Une des meilleures façons d'attirer l'amour dans votre vie est, avant toute chose, d'apprécier et de savourer votre propre compagnie. En développant cette habitude, un déclic se produira, une magie s'opérera, vous vibrerez à une fréquence différente et attirerez beaucoup plus rapidement et facilement la personne qui correspond à votre essence.

Prenez donc soin de vous, écoutez de la musique, engagez une styliste, restez actif, allez au cinéma, donnez-vous de l'amour, dansez seul dans votre salon, amusez-vous, cuisinez-vous un bon repas à la chandelle, en tête-à-tête avec vous-même, et aimez-vous pour la personne extraordinaire que vous êtes. Bref, faites maintenant ce que vous ferez quand la personne rêvée sera enfin là dans votre existence…

Pour attirer l'homme ou la femme de votre vie, il faut d'abord le devenir pour vous-même…

Les gens amoureux sont des personnes aimantes, et lorsque l'on est aimant avec soi-même, on produit des hormones d'amour de soi (la sérotonine, l'hormone du bien-être).

En partageant par la suite cet amour avec les autres - à tous les niveaux, pas seulement en couple (par exemple en faisant preuve de compassion) – vous créez de l'ocytocine (l'hormone de l'attachement). Et cet attachement, vous en amplifiez la vibration autour de vous, vous l'attirez !

En vous aimant, vous augmentez de manière exponentielle vos chances d'attirer le même amour, mais cette fois d'une autre personne, celle tant attendue !

Vous ATTIREZ parce que vous RAYONNEZ !

Imaginez une fleur qui éclôt et exhale son parfum, elle n'a pas à faire d'efforts pour nous convaincre de humer ses fragrances… On est tout simplement attiré vers elle pour la sentir. La même chose est vraie pour vous. Portez votre attention à être bien et heureux maintenant, et soyez patient. En libérant votre parfum, votre essence unique comme individu unique, l'amour sera attiré vers vous naturellement…

Soyez vrai et authentique

Vous connaissez probablement ce principe relié à la loi d'attraction prônant que nous attirons à nous des personnes et des situations qui sont alignées sur notre vibration et notre essence. Tel un diapason qui a le pouvoir d'en faire vibrer un second sans même le toucher, simplement par la puissance de la résonance, vous attirerez à vous une personne qui dégagera une énergie similaire à la vôtre.

Présentez-vous chaque jour au monde tel que vous êtes réellement intérieurement. Certes, c'est tout un défi dans notre société moderne où nous fonctionnons quotidiennement avec des masques, des titres et des étiquettes. C'est un défi, mais le jeu en vaut la chandelle!

Considérez cette opportunité comme une pratique spirituelle qui prépare et forge votre cœur à une relation amoureuse fondée sur des bases de vérité et d'authenticité. Au travail, dans vos relations, en famille, commencez immédiatement à être, dire et faire, harmonieusement aligné sur votre vérité.

Soyez en congruence avec votre essence. Plus vous le serez, plus vous amplifierez vos chances d'attirer la personne dont vous rêvez à vos côtés.

Soyez audacieux, totalement vous-même, unique et original à votre façon! Peu d'attitudes donnent davantage de pouvoir que de se présenter sous son VRAI jour! Être complètement vrai est une assurance qui vous protège des personnalités et des relations risquant d'entraver votre futur bonheur amoureux.

Si vous abordez une personne et qu'elle démontre peu d'intérêt envers vous et ce que vous dégagez, ainsi soit-il.

C'est parfait!

Laissez-la partir, ce n'était pas la bonne pour vous, un point c'est tout! Cessez de tout faire pour plaire. Une personne vraiment intéressée vous le démontrera, sinon elle s'en ira et ce sera parfait comme ça! Quelque chose de mieux vous attend, toutefois c'est encore dans la mijoteuse, pas encore à point! Rappelez-vous que le rejet est une forme de protection divine!

La règle d'or du célibataire : Il y aura TOUJOURS une abondance de personnes qui vous aimeront... Prenez le temps de choisir le BON partenaire!

Clamez ce que vous cherchez

Être vrai et authentique, ça passe aussi par ce que vous signalez extérieurement à la vie!

Que recherchez-vous?

Allez, ça suffit la timidité, dites la vérité! Annoncez et exprimez au monde qui vous entoure ce que vous désirez. Sans nécessairement tomber dans la perpétuelle promotion de votre personne, vous n'avez rien à perdre et tout à gagner à indiquer que vous êtes prêt pour la prochaine étape, soit d'accueillir l'amour dans votre vie.

En fait, plus spécifiquement, l'essentiel n'est pas tant de le dire, que de vous ENTENDRE le dire! Beaucoup de gens bloquent inconsciemment le processus, car ils ont peur de clamer haut et fort la relation qui ferait vibrer leur cœur!

Dès que vous aurez accepté ces dernières lignes, allez-y, donnez-vous des ailes, et affirmez au monde entier vos désirs. Reconnaissez, réconfortez et affirmez ce que vous brûlez d'envie de vivre. Demandez et vous recevrez! Prenez le téléphone et annoncez-le à une personne en qui vous avez confiance, qui vous accueillera avec amour, joie et respect!

Dites la vérité

L'actrice américaine Debra Messing disait que «*l'honnêteté est probablement la chose la plus sexy qu'un homme puisse offrir à une femme*», et vice versa!

Étant donné que vous tenez ce livre entre vos mains, il est évident que vous êtes lassé des jeux amoureux immatures et compliqués, que vous êtes mûr pour une relation supérieure, d'âme sœur, de haute connexion, de grande qualité. Et…

Qui dit QUALITÉ dit VÉRITÉ!

Quand on décide de vivre le GRAND AMOUR, il est impératif, d'abord et avant tout, de dire la vérité, d'exprimer ce que l'on pense, qui l'on est vraiment. Cette étape exige beaucoup de courage, car elle nous place dans un état de vulnérabilité.

Pourtant, vulnérabilité n'est pas synonyme d'échec ou de faiblesse. Au contraire, c'est synonyme d'ouverture, de confiance, de force et de stabilité intérieure. Un mentor de David répète souvent que la meilleure façon de se sentir invincible est de montrer sa vulnérabilité et son essence au monde entier!

Il est triste de constater que la plupart des gens en relation préfèrent se dévoiler vraiment qu'après un certain laps de temps. Ce même réflexe fait en sorte que des conflits et des luttes de pouvoir naîtront inévitablement à moyen et long terme…

N'adoptons pas la politique de l'autruche : nous évoluons dans une société superficielle faisant la promotion de l'artificiel. Ça ne signifie pas nécessairement que nous sommes toutes des personnes superficielles, bien sûr que non, mais il reste que c'est une tendance et une réalité ! DÉFI MAJEUR : qui dit amour véritable, dit sincérité et honnêteté, des valeurs à l'opposé de la superficialité !

Aujourd'hui, nombre de célibataires à la recherche d'une relation à «tout prix» utilisent une stratégie qui sabote inconsciemment leurs plus sincères désirs d'amour véritable. Dans le monde de la séduction, un fléau moderne commun est le vice de la «fausse représentation».

Avez-vous déjà rencontré quelqu'un qui semblait être la personne idéale, une déesse ? Ou encore le prétendant descendu droit du ciel sur son cheval blanc en vous promettant un conte de fées au quotidien ? Pour finalement découvrir, après quelques semaines seulement, que le prince vaillant n'était pas aussi vaillant que ça ?

C'est le vice de la fausse représentation, l'art de projeter à la personne convoitée une version légèrement altérée et améliorée de notre véritable personnalité pour s'assurer de «scorer» !

Ce concept est amplement utilisé par les célibataires contemporains à la recherche de l'amour… Pourquoi ?

Parce que ça fonctionne momentanément !

Vous rencontrez une personne qui vous plaît, et plutôt que de jouer cartes sur table, de montrer votre nature et d'exprimer vos besoins, vous utilisez la fausse représentation parce que ça attire l'attention. Naturellement, votre peur de perdre ou de ne pas plaire prend le dessus et mène vos paroles, vos gestes et vos réactions. Jusqu'à ce que la vérité se pointe le bout du nez et que votre vraie personnalité soit dévoilée!

Comprenons-nous bien, il y a un temps pour tout, et il n'est pas nécessaire de se mettre à nu (dans tous les sens du terme) dès les premiers moments! Notre recommandation est simple:

Restez honnête, avec vous-même et avec l'autre!

Beaucoup de gens en sont encore inconscients: être authentique et dire la vérité est très séduisant. C'est un état extrêmement puissant, attirant et magnétique...

Il est impératif que vous développiez le réflexe de dire la vérité sur-le-champ même si c'est difficile. De toute façon, ça ne sera jamais plus facile qu'au début. Au fur et à mesure que les semaines passeront et que les sentiments s'amplifieront, la fausse représentation ne fera que créer une dissonance, un malaise intérieur grandissant.

Comme le dit si bien le proverbe: «Chassez le naturel, il revient au galop.»

Cependant, sous une perspective d'amour et d'ouverture, ne vous blâmez pas outre mesure. Nous usons tous de représentation erronée à un moment ou à un autre, dans une sphère comme dans l'autre. Aujourd'hui, les fausses dents, les faux ongles, les faux seins, ou encore les voitures trop dispendieuses pour notre budget et les cheveux teints, font partie de notre quotidien.

Jusqu'à un certain point, c'est correct. Ces «améliorations» superficielles mettent du baume sur nos insécurités, elles ont leurs utilités. Soyez simplement conscient que certaines choses ne devraient jamais être altérées pour plaire à l'autre… Votre véritable nature et votre essence en font partie.

Les couples éclatent très souvent compte tenu des raisons qui étaient présentes dès les tout premiers débuts, mais qui ont été gardées sous silence, sous le joug de la fausse représentation! Le plus triste dans tout ça, c'est parfois après avoir investi une ou même deux années de sa vie…

Un jour ou l'autre, vous aurez inévitablement à exprimer votre vérité, aussi bien que ce soit plus tôt que trop tard!

Un client de Chantal éprouvait beaucoup de difficulté dans sa relation, car il était particulièrement jaloux. Plutôt que de parler ouvertement de son insécurité avec sa partenaire, il l'espionnait sur son Facebook, essayait de regarder ses courriels, puis la confrontait!

Jusqu'au jour où, le couple étant sur le point d'éclater, il fit preuve d'un ultime courage et admit crever d'une jalousie déclenchée par son insécurité de la perdre. Dès cet instant, ce fut réglé. Ils entamèrent une nouvelle étape, la paix s'installa.

Quand nos insécurités sont exorcisées, elles n'ont plus d'emprise sur nous… On en est libéré! Si vous vous surprenez à être inauthentique l'espace d'un moment, faites la paix puis dites la vérité!

La vérité toute nue est beaucoup plus belle que le mieux vêtu des mensonges…

Prévenir plutôt que guérir!

Vous avez maintenant les premiers de nombreux outils, de trucs, et de stratégies pour attirer à vous la personne de vos rêves. Malheureusement, pour plusieurs personnes, il arrive parfois que le rêve tourne au cauchemar. Afin de vous blinder et de vous préparer à éviter les angoisses amoureuses, il est essentiel d'apprendre à prévenir plutôt que guérir…

Prenez un moment, faites une pause. Remémorez-vous vos relations passées…

Est-ce que la majorité du temps investi en couple vous rendait plus heureux et lumineux ou davantage malheureux et éteint?

Si vos anciennes relations évoquent plus de mauvais souvenirs que de bons, il est possible que vous ayez développé l'habitude d'attirer des partenaires «problématiques».

Selon la définition SEXSHIP, un partenaire problématique est une personne qui ne vous convient tout simplement pas, qui ne correspond pas à votre essence profonde. Par peur d'affronter la solitude, il nous arrive de fréquenter occasionnellement des personnes qui ont sur nous un effet plutôt néfaste que positif.

Ces relations génèrent incontestablement de la souffrance, c'est INÉVITABLE. Pourtant, nous sommes absolument persuadés que la souffrance n'est pas nécessaire dans le processus des relations amoureuses.

En fait, la souffrance est un signal d'alarme! Il crie pour avertir qu'il est temps de prévenir plutôt que guérir, d'ouvrir les yeux, et de sortir de la torpeur… C'est l'heure de clarifier les «Must» et les «Deal Breaker»!

Les «Must» et les «Deal Breaker»

Permettez-nous ici l'utilisation des termes anglo-phones. Malgré tout notre bon vouloir, il nous était trop difficile de concevoir l'idée de baptiser cette partie les «il faut absolument» et les «briseurs d'entente»!

Si vous avez déjà vécu une relation qui générait plus de douleur que de bonheur, il est fort probable que vous n'aviez pas encore clarifié vos «Must et Deal Breaker».

Les «Must» sont les traits de caractère ABSO-LUMENT NÉCESSAIRES à votre bonheur en couple. Vous savez, ces éléments qui sont primordiaux et dont vous ne pouvez «vivre sans» en relation. D'aure part, les «Deal Breaker» sont ce que vous n'endurerez JAMAIS chez votre partenaire, peu importe à quel point tout le reste est parfait.

Ces deux points cruciaux représentent votre zone «PAS DE COMPROMIS!» *Quels sont les miens*

À cette étape, votre attention doit être portée sur le tri des prétendants que vous rencontrerez. Plus vous ferez cette sélection efficacement, plus vous trouverez facilement votre trésor. Cela vous demandera parfois du courage, mais c'est un incontournable amoureux.

Les hommes ont généralement une plus grande facilité à respecter leurs «Must et Deal Breaker». Leur besoin de sécurité émotionnelle étant moins élevé, la plupart préfèrent patienter plutôt que de s'engager dans une relation trop compliquée.

Toutefois, il arrive que monsieur transgresse cette règle s'il est viscéralement attiré physiquement par une femme… C'est possible que ça fonctionne un certain temps, mais rarement à long terme!

La situation est quelque peu différente chez la femme… Madame est plus flexible avec les siens. Elle fera davantage de compromis, surtout si elle est (et veut rester) mariée ; parfois par amour ou si des enfants entrent en ligne de compte. Concernant certains traits de caractère, elle espérera secrètement qu'avec le temps, la situation changera ou disparaîtra.

Pour la femme, le besoin de s'ancrer et de se lier avec son partenaire est CONSIDÉRABLE. Cette importance est si grande que, instinctivement, elle acceptera des compromis qui lui coûteront parfois de l'énergie à long terme…

Voici notre opinion sur le sujet :

Peu importe votre condition, votre sexe, votre statut social, vos revenus, votre ethnie, mettez sans tarder vos « Must et Deal Breaker » sur la table. Ayez le courage d'exprimer tout ce que vous refusez de vivre et faites part de ce dont vous avez absolument besoin.

Ne les niez plus jamais.

Vous avez droit et méritez une vie amoureuse riche, sans stress inutile. C'est le point de départ des grandes histoires : authenticité, honnêteté et sincérité.

Si vous éprouvez des difficultés à déterminer quels sont vos « Must et Deal Breaker », ressassez vos relations passées et les raisons pour lesquelles elles ont éclaté. Ce sont d'excellentes pistes pour vous éclairer et vous apporter des réponses claires.

Oui, il y a certaines choses que votre partenaire peut choisir d'améliorer afin de vous faire plaisir, mais d'autres resteront toujours impossibles à changer. Reconnaissez et respectez vos « Must et Deal Breaker » à long terme. C'est essentiel à votre bonheur !

Par exemple, si vous êtes sobre depuis 2 ans, il serait beaucoup plus difficile de vivre une vie riche et épanouie avec une personne qui fait des abus de drogue et d'alcool quotidien. Pour vous, c'est non négociable, car ça menace directement votre bien-être.

Si vous RÊVEZ d'avoir des enfants, que pour vous c'est essentiel – un MUST – DITES-LE AU DÉBUT! Si la personne que vous fréquentez vous avoue après quelques semaines que c'est hors de question pour elle, ne négociez pas votre Deal Breaker. Les facteurs essentiels à votre bonheur seront TOUJOURS non négociables.

Trop de gens commettent l'erreur initiale de tenir pour acquis que leur partenaire partage les mêmes priorités. Ou encore qu'ils réussiront à le convaincre de changer (par exemple : « elle finira bien par aimer le sexe oral »).

Ne tenez rien pour acquis!

Séduire et charmer

Vous voilà maintenant préparé à accueillir l'amour dans votre vie. Encore faut-il être en mesure de réagir lorsqu'il se présentera à vous. Approfondissons donc votre préparation avec l'art du charme et de la séduction! Voici nos meilleures suggestions…

Le regard

On dit que les yeux sont les fenêtres de l'âme, le regard en est donc forcément le store! Il est si facile au quotidien de vaquer à ses occupations sans réellement regarder les autres, de marcher le regard (le store) «fermé». Et pourtant, tant d'opportunités vous sont présentées!

Comme célibataire, une de vos missions quotidiennes prioritaires est d'utiliser votre regard pour SIGNALER votre disponibilité.

Plus vous regarderez le monde avec ouverture, amour et curiosité, plus le monde vous regardera en retour…

Pour que la vie et l'amour s'ouvrent à vous, vous devez d'abord vous OUVRIR à la vie!

Dès maintenant, et pour le reste de votre aventure de célibataire, amusez-vous et développez votre capacité à charmer. Assurez-vous de créer une connexion. Flirtez avec, au minimum, 5 personnes pendant au moins 5 secondes continues, soutenues par un regard accrocheur. Ça peut être en les croisant dans la rue, en quittant un café, ou encore dans le contexte d'une rencontre sociale.

En résumé, par votre regard, faites savoir à l'autre que vous êtes INTÉRESSÉ… Démontrez-le par votre langage non verbal!

Vous verrez, pour plusieurs, cet exercice est un défi imposant, car 5 secondes, ça peut sembler TRÈS LONG! Et c'est la raison pour laquelle c'est une excellente stratégie pour se libérer de la timidité, muscler votre courage, et développer votre confiance.

Laissez votre regard parler et exprimer qui vous êtes (votre essence) à travers lui… Vous serez étonné des résultats!

Le mantra

On passe notre vie entière à réfléchir, à analyser et à se poser des questions. Il est commun de se répéter encore et encore les mêmes phrases, les mêmes mots au fil de la journée.

Réfléchissez, à quoi avez-vous le plus pensé depuis les 24 dernières heures ? Quelles étiquettes, quels mots, avez-vous utilisés pour exprimer ces mêmes pensées ?

Voilà précisément ce qu'est un mantra : une SÉQUENCE de mots ou de phrases utilisés à RÉPÉTITION, de manière quasi ritualisée, et qui ont des répercussions sur nous (à différents niveaux).

Sans élaborer en détail (bon nombre d'ouvrages existent déjà sur le sujet), gardez simplement en tête que vos paroles génèrent un immense impact sur votre champ énergétique, et par ricochet sur votre réalité. Ainsi, dès aujourd'hui, réfléchissez à 3 mots qui définiraient parfaitement la personne que vous désirez être en amour, ou encore ce que vous rêvez d'expérimenter en relation.

Par exemple, Christine Michaud[1], une auteure extraordinaire et amie de David, utilise de son côté : « Sexy, zen et happy ». D'autres bons exemples seraient : adoré, simple, passionné, drôle, léger, connecté, sensuel, authentique, intense, respectueux, sexuel, tendre, affectueux, etc.

Une fois clarifié, répétez silencieusement ce mantra le plus régulièrement possible. Il maintiendra et amplifiera en vous l'état et les caractéristiques recher-

---

1. Elle a publié chez le même éditeur *C'est beau la vie* et *Encore plus belle, la vie !*

viril, aimant, intelligent, tendre
(VAIT)

chées. Impérativement, utilisez votre mantra lorsque vous êtes entouré, ou lorsque vous êtes dans un endroit où l'on peut vous aborder (sans compter les premières rencontres avec un prétendant).

Cette habitude vous syntonisera INTÉRIEURE-MENT pour attirer ce à quoi vous rêvez EXTÉRIEU-REMENT...

Clarifiez... et utilisez votre système activé réticulé !

Vous est-il déjà arrivé d'acheter quelque chose, pour ensuite le remarquer partout autour de vous ? D'acquérir par exemple une marque et un modèle de voiture, puis de percevoir beaucoup plus fréquemment qu'avant ce même modèle sur les routes après votre achat ? Ne cherchez pas plus loin, c'est grâce à votre système activé réticulé !

Également baptisé « système d'activation réticulaire », le SAR est un groupe de noyaux, appelé formation réticulée, situé au cœur du tronc cérébral du cerveau. Ces noyaux reçoivent principalement leurs informations des systèmes sensoriels de l'organisme (la vue, l'ouïe, l'odorat, le goût, le toucher). Les neurophysiologistes Giuseppe Moruzzi et Dr Horace Magoun l'ont même baptisé le « centre de l'éveil ».

C'est la partie de votre cerveau qui vous fait percevoir ce que vous souhaitez de la vie !

Le SAR joue un rôle d'intermédiaire, de filtre, entre la partie consciente et la partie inconsciente de votre cerveau. Vous ne pouvez gérer consciemment tous les stimuli et informations sensorielles simultanément... c'est impossible !

Ainsi, ce dernier est nécessaire afin d'effectuer un tri pertinent. Cette partie administre et présente ce qui est digne de votre attention et fait fi du reste. Dès qu'il juge qu'une information vous concerne au plus haut point, il «éveillera» votre attention qui la percevra.

Vous voyez où l'on s'en va, n'est-ce pas? Oui, il est absolument possible de programmer votre SAR, de lui envoyer des instructions qui seront transmises à votre inconscient, pour ensuite vous assister dans votre recherche du partenaire idéal. Pour ce faire, il ne suffit que de clarifier ce que vous souhaitez vraiment attirer...

À partir du moment où votre vision est claire, la majeure partie du chemin est faite, vos chances de succès montent en flèche! Vous commencez à utiliser à plein régime les capacités de votre système activé réticulé.

C'est très payant de clarifier!

Pensez à la dernière occasion où vous avez décidé d'acheter une voiture, un voyage, une maison. Il est fort probable que vous aviez chaque fois une liste de critères pour vous assurer un achat éclairé. Et l'opposé aurait été insensé, n'est-il pas vrai?

Quand on y pense, votre relation amoureuse devrait forcément faire partie des sphères où vous dressez une liste détaillée de ce que vous souhaitez vivre et expérimenter en couple. Encore aujourd'hui, beaucoup de gens ne prennent pas le temps d'approfondir leurs réflexions à ce sujet et se retrouvent avec des partenaires peu adaptés à leur type de personnalité.

Pour cet aspect précis, votre mission est relativement simple: investissez un peu de votre temps, quelques heures seulement, et définissez le partenaire rêvé! Aucun détail ne doit être négligé. Plus vous serez clair sur ce que vous désirez, plus vous maximiserez vos chances de repérer cette personne…

Dressez une liste et clarifiez les aspects suivants :

1. Physique

Ne soyez pas timide, allez-y, décrivez ce que vous préférez, ce qui vous fait FANTASMER. Plus vous aurez une attirance physique pour votre partenaire, plus présente sera la chimie. Est-il poilu ou imberbe ? Quelle est sa couleur de cheveux, de yeux, sa grandeur, ses proportions (ou mensurations !), des détails importants à « commander » ?

2. Émotionnel et intellectuel

Quels sont les traits de personnalité de cette personne ? Comment se comporte-t-elle avec vous ? Est-elle plus affectueuse ou indépendante, timide ou exubérante, ouverte ou conservatrice ? Quelles qualités appréciez-vous le plus chez elle ? Plus vous affinerez votre vision, meilleures seront votre communication, votre compatibilité et votre complémentarité.

3. Sexuel

Comment se comporte votre partenaire au lit ? À quelle fréquence aime-t-il avoir des rapprochements ? Avez-vous des fantasmes en particulier ?

4. Professionnel

Votre amoureux est-il travailleur autonome ou salarié ? Passionné par son emploi ou a-t-il opté pour la sécurité ? Très occupé ou avec beaucoup de temps libre ? Travaille-t-il la semaine ou les week-ends ? De jour ou de soir ?

5. Financier

Comment se résume sa situation financière ? Aisée ou serrée ? Est-il axé sur l'argent ou pas vraiment ? Comment perçoit-il l'argent ? Quelle est sa relation avec celui-ci ?

6. Familial

La personne de vos rêves a-t-elle des enfants ou est-elle encore en solo ? Veut-elle des enfants ou son quota est-il atteint ? Êtes-vous ouvert à l'idée d'une famille reconstituée ?

7. Loisirs

Que fait votre partenaire quand il veut s'amuser ? En quoi consistent ses loisirs, ce qui lui fait plaisir ? Est-il davantage pour les sorties ou le coucounage, resto ou bouffe romantique à la maison, plein air, gym ou télé ?

Alignez

À partir du moment où vous avez une perspective claire de votre partenaire rêvé, la suite logique est de vous aligner sur cette vision. La bonne énergie attirera la bonne personne. Et pour être dans la bonne énergie, il suffit de choisir une discipline personnelle et de la pratiquer de façon régulière...

Accomplissez chaque jour des actes de foi, des moments où vous connecterez avec l'essence du partenaire que vous désirez attirer. Donnez à une cause qui vous touche, qui vous fait vibrer, peu importe ce qu'elle est (une organisation, une voisine, un amuseur public).

Ce geste sacré répété créera une énergie, une force qui émanera de vous et qui sera IRRÉSISTIBLE pour le sexe opposé aligné sur la même vibration...

Pour attirer la personne de vos rêves, vous devez d'abord vous aligner sur la même VIBRATION, la même FRÉQUENCE !

Stimulez les « bonnes » hormones

Version simplifiée de l'alignement vibratoire, vous pouvez catalyser votre charme magnétique en stimulant la sécrétion des phéromones, des « bonnes hormones ».

Par exemple, pour monsieur, un truc infaillible est de s'entraîner ou de faire du sport avant de sortir draguer ! L'activité augmente instantanément son taux de testostérone et de dopamine, et cette combinaison le rend plus séduisant…

Messieurs, LA chose la plus efficace pour ancrer et solidifier votre énergie masculine est de CONTRIBUER.

Contribuer à quoi et à qui vous voulez, mais contribuez !

Non seulement vous ferez une différence dans la vie d'une personne ou pour une cause, mais vous galvaniserez votre taux de testostérone instantanément. Les femmes ont un sixième sens, elles le captent naturellement et ça vous rend d'autant plus SÉDUISANT !

Messieurs, la règle d'or pour stimuler vos hormones : Contribuez, contribuez, et contribuez !

De votre côté, mesdames, il est essentiel de vous préparer à recevoir en ouvrant votre cœur…

Pratiquement tous les jours, des occasions et des opportunités sont placées sur votre chemin, là, devant vous ! Bien des hommes ne demandent pas mieux que de prendre soin de vous. Ils vous offrent un verre, vous ouvrent la porte en vous laissant d'abord passer, vous invitent à dîner.

Cette pratique ne consiste pas à profiter de l'autre, mais bien au contraire à accueillir gracieusement et avec gratitude les cadeaux que la vie place sur votre chemin (la seule condition étant que ça vous fasse plaisir et que ce soit agréable).

Selon la perspective de *L'Amour SEXSHIP*, ce sont toutes des chances d'ALIMENTER votre énergie féminine. Dès aujourd'hui, acceptez de vous laisser gâter. Soyez ouvertes et recevez des hommes qui veulent vous offrir…

Mesdames, la règle d'or pour stimuler vos hormones : Recevez, recevez, recevez !

Comme le disait avec éloquence une amie de Chantal : «*Pour être heureuse en amour, il faut être consciente d'une vérité : Tu dois savoir que c'est TOI LE CADEAU !*»

Quel précieux conseil ! Peu de femmes reconnaissent cette vérité qu'elles sont adéquates.

Mesdames, sans être prétentieuses, soyez conscientes que vous êtes un cadeau pour votre homme, que pour un homme, la vie sans femme est difficile, voire incomplète. Ce n'est pas une question d'égalité, vous amenez simplement dans sa vie quelque chose d'unique et de précieux, un trésor de sensibilité, de douceur et de sensualité…

Vous êtes assez !

Souriez

La D^re Pat Allen affirme que les hommes heureux dans leur couple se sentent comblés quand ils observent leur chérie sourire. C'est un de leurs objectifs.

Si on exclut votre regard, le sourire est une des plus efficaces manières de signaler votre ouverture. Les êtres humains sont naturellement attirés vers le bonheur, la bonne humeur, la joie de vivre et la beauté intérieure.

Le sourire ILLUMINE le visage!

Engagez-vous donc à sourire à un minimum de 10 personnes, 5 connues et 5 inconnues, et ce, chaque jour… Plus que tout, lorsque vous croiserez une personne qui vous fait de l'effet, vos 2 premiers réflexes instinctifs devraient être de la REGARDER droit dans les yeux, et de lui SOURIRE…

SOURIRE = OUVERTURE

Décidez de risquer

Steve Jobs, le défunt créateur de la compagnie Apple, a vécu une magnifique histoire d'amour avec sa deuxième épouse, Laurene Powell.

Il raconte que, le jour où il invita sa future femme pour un rendez-vous galant, il était en route (et TRÈS en retard), vers une importante rencontre d'affaires. Il avait remarqué cette éblouissante femme dans le stationnement du bureau où il avait rendez-vous (son SAR était parfaitement programmé… C'est Steve Jobs quand même!).

À ce moment, hésitant entre l'idée de l'aborder ou de continuer sa course vers le building, il se posa cette question:

«Et si je MOURAIS DEMAIN, est-ce que je continuerais de courir ou bien est-ce que je parlerais à cette femme?»

Viscéralement, il prit la décision de RISQUER. Une décision qui allait marquer son destin amoureux, car elle ACCEPTA!

Jusqu'à son décès, ils furent mariés et comblés pendant plus de 20 ans et eurent 3 enfants... Ce n'est pas un conte de fées, mais bien une relation basée sur l'Amour SEXSHIP!

Dans le feu de l'action, posez-vous la question: *«Et si je mourais demain, est-ce que je continuerais de courir ou bien est-ce que je parlerais à cette personne?»*

Ça nous est tous déjà arrivé par le passé. On marche tranquillement dans la rue, puis nous croisons une femme ou un homme magnifique, qui nous charme. On aime sa façon de marcher, sa tenue vestimentaire, son look unique, son sourire. On se dit *«wow, quelle belle personne!»*, et puis nous poursuivons notre chemin, sans jamais dévoiler le fond de notre pensée.

Et si vous commenciez à imiter M. Jobs et décidiez de risquer un peu plus?

Et si la prochaine fois que vous croisiez une personne exceptionnelle, vous fonciez?

Pensez-y, cette action est primordiale à votre succès, CAPITALE à votre bonheur relationnel!

Il est préférable d'avoir les jambes qui tremblent devant l'inconnu que de s'engourdir à force de ne plus rien ressentir...

Voici donc votre mission:

Dès la prochaine occasion... RISQUEZ!

Que ce soit naturel et facile ou cruellement difficile, il vous est IMPÉRATIF d'aborder cette personne pour lui parler! C'est votre «priorité la plus prioritaire» (à moins que vous ne soyez physiquement en feu, là il faudrait plutôt vous rouler par terre en tout premier lieu!).

«*D'accord, mais je dis quoi?*», demanderez-vous. Simple! Règle générale, une stratégie ultra-efficace est d'utiliser votre imagination et de DEMANDER DE L'AIDE.

Peu importe que vous en ayez réellement besoin ou non, ce qu'il vous faut, c'est une ouverture. Par exemple, vous remarquez un homme qui vous intéresse dans un café, abordez-le en lui demandant de l'aide à propos de votre ordinateur ou encore de la direction pour se rendre quelque part.

Puis, ouvrez-vous à ses suggestions, et saisissez la balle au rebond! Vous êtes au supermarché et vous arrivez face à face avec une magnifique femme, prenez deux conserves et demandez-lui laquelle est la meilleure pour une sauce tomate! Utilisez votre imagination…

Tirez profit de vos atouts, votre essence, vos points forts. Si vous êtes drôle, soyez drôle! Si vous dégagez une aura mystérieuse et magnétique qui pique la curiosité, prêtez attention à manifester et dégager cette énergie. Si tous vos proches ne cessent de vanter votre sourire chaleureux et sincère, souriez un bon coup. Et plus que tout, utilisez vos meilleurs atouts et faites confiance à l'amour.

N'oubliez pas que, dans les sports comme en amour, prendre des risques amène les GRANDES HISTOIRES… et les médailles d'or! Par-dessus tout: OSEZ, OSEZ, OSEZ!

En finale

Rappelez-vous, l'amour vous cherche aussi de son côté. Non seulement la personne idéale pour vous existe, mais elle vous attend au prochain tournant… Profitez de cette période transitoire (aussi longue soit-elle), pour vous préparer à l'accueillir dans votre vie.

Faites preuve de patience, un sentiment d'urgence gênerait de toute façon le processus et favoriserait les faux pas. Préparez-vous, et faites-vous confiance, votre intuition vous éclairera et vous indiquera le chemin…

En utilisant les outils partagés dans ce chapitre, votre essence reconnaîtra et vous indiquera rapidement si une personne est adaptée ou non à vous.

Parfois vos peurs et insécurités, combinées à vos hormones, interfèrent avec votre intuition, et c'est normal ! Si vous doutez et manquez de clarté, creusez un peu et donnez une chance au coureur ! En restant attentif et perceptif, vous aurez une réponse dans l'espace de 3 rencontres au maximum.

Prenez votre temps, ne brusquez pas les choses, ne misez pas tous vos « jetons amoureux » à la hâte.

Rappelez-vous que l'amour s'apprivoise TRANQUILLEMENT…

Si vous êtes en présence de la bonne personne, elle reviendra naturellement vers vous, et vos sentiments grandiront l'un pour l'autre ! Le temps de la romance est unique et éphémère… Savourez-le !

D'ici là, l'essentiel est de porter votre attention à faire ce que vous aimez profondément, à prendre soin de vous et à vous préparer pour ce qui vous attend.

Souvenez-vous, les délais de la vie ne sont pas des refus, ce ne sont que des délais !

Et puis, tant qu'à se préparer, aussi bien remonter dans le temps pour comprendre davantage nos comportements…

Patience, l'amour vous cherche aussi de son côté…

Chapitre 3

La femme et l'homme des cavernes

*« Les hommes ont peut-être découvert le feu, mais
les femmes ont découvert qu'on pouvait jouer avec ! »*
— Michael Patrick King

C'est impossible de le nier, nous partageons tous
le même héritage, nous avons ultimement tous les
mêmes racines ! Si on remonte aux tout premiers débuts,
nos ancêtres les plus anciens étaient des hommes et des
femmes des cavernes !

L'homme préhistorique est aujourd'hui perçu comme
un sauvage vêtu d'une peau de bête, maîtrisant difficilement le feu, et s'exprimant par grognements dénués
de sens. Cet être bien peu civilisé s'appropriait (appa-
remment) sa femme en l'assommant puis en la traînant
par les cheveux. On est loin des chocolats et du bouquet
de fleurs ! Il est considéré depuis longtemps comme un
être illogique et inconscient, voire stupide et agressif…

Vu sous cette optique, quand on recule un peu
dans le temps, on constate que l'affirmation de l'écrivain
français André Suarès clamant que *« le sexe est le cerveau
de l'instinct »* prend tout son sens !

Il y a des milliers d'années, le sexe, c'était une
question de VIE ou de MORT.

Instinctivement, pour assurer la survie de la lignée, voire du clan ou de la race, c'était impératif de s'accoupler pour se reproduire…

Avec le temps, l'humanité a évolué, nous vivons maintenant dans une société dite «civilisée». Paradoxalement, quand on aborde la survie et le sexe, nous sommes encore fondamentalement régis par certains programmes et certains réflexes conditionnés, bien enfouis au cœur de notre psyché. Des réflexes de survie illusoires et désuets, évidemment!

Ne vous est-il jamais arrivé de réagir de manière illogique, de faire des choix semblant plus axés sur votre survie plutôt que sur votre évolution, sans même que votre sécurité soit réellement en jeu? Bien sûr que oui, n'est-ce pas, et c'est absolument normal!

Voyez-vous, il se cache en votre for intérieur une entité… Ne craignez rien, vous n'êtes pas possédé! Mais il reste qu'une partie de vous, profondément influencée par votre héritage génétique, vous pousse parfois à agir (surtout à réagir) de diverses façons qui ne servent pas réellement (ou très peu) votre intérêt et celui de votre partenaire…

C'est l'homme ou la femme des cavernes en vous!

Depuis la nuit des temps, elle est là, cachée et prête à surgir à tout moment pour assurer votre survie. La partie en vous qui réagit parfois trop rapidement plutôt que de réfléchir, qui combat et parfois sabote, est en fait un mécanisme de protection ancré au niveau cellulaire pour assurer votre continuation. C'est le siège de vos souffrances…

Elle est à l'opposé des qualités du cœur, de la réelle intimité, de la joie, de la réceptivité et de la communion avec le partenaire aimé. Cette part de vous-même est aujourd'hui nuisible à votre bonheur.

Selon la perspective de certaines philosophies spirituelles telles que le Ho'oponopono, cette partie porte nos mémoires depuis notre naissance, mais également depuis le début des temps (si on parle de la réincarnation!). On l'appelle «l'enfant intérieur», cette facette de nous qui souffre depuis notre création cosmique, blessée par les abus, les peurs, les injustices et les trahisons.

Dans l'esprit de cette même philosophie, tant et aussi longtemps qu'elle ne sera pas reconnue, nettoyée et guérie, les problèmes à tous les niveaux se répéteront encore et encore, sans fin. Seules les formes qu'ils utiliseront seront changeantes, mais le «pattern de souffrance», lui, continuera de se répéter à perpétuité...

Quand on fait la paix avec ce qui nous fait souffrir de notre passé, les problèmes cessent de se répéter sous différentes formes. On accède à un nouveau niveau de conscience, celui de la RESPONSABILISATION...

Que l'on y croie ou non, que l'on observe la situation d'un point de vue rationnel ou spirituel, un fait reste logique et certain: peu importe le problème, s'il n'est pas réglé, il ne fera qu'empirer et perdurer dans notre vie.

C'est exactement pour cette raison que nous vous recommandons fortement de faire ce travail et de creuser, tout au fond de vous, pour faire la lumière sur cette partie plus primitive avec laquelle vous cohabitez parfois. C'est essentiel si vous souhaitez expérimenter *L'Amour SEXSHIP*. Permettez-nous de vous guider à travers le processus...

Comprendre la femme et l'homme des cavernes

Un des enjeux majeurs chez l'homme et la femme des cavernes est la sécurité. Évidemment, ce mot revêt différentes connotations pour chacun des sexes. Selon Alison Armstrong, lorsque l'on choisit son partenaire en misant sur notre côté «des cavernes», le choix est dirigé en fonction d'un seul et unique critère : ASSURER SA SURVIE.

Cette manière d'évoluer comme individu n'offre que bien peu de chances au meilleur en vous de se manifester. C'est la partie qui manipule, ment, force pour assouvir ses besoins et entretenir l'ego ; ce que le philosophe, guide spirituel et visionnaire Eckhart Tolle considère comme le «corps de souffrance» dans *Nouvelle Terre*, son génial et prophétique ouvrage.

Établie sur les bases «des cavernes», une relation sera constamment difficile à vivre. La raison en est fort simple : la survie de chaque partie sera toujours priorisée aux dépens des qualités du cœur et de l'essence de l'humanité, de l'amour pur dont chaque être humain sur cette terre est constitué.

Cette relation sera remplie de frictions et de tensions, suivies du relâchement de ces mêmes tensions, pour ensuite recommencer le cycle infernal. Ce sera généralement lourd, difficile et compliqué, rarement simple, facile et léger.

Pour vous, mesdames, cette partie représente votre côté «survie», le côté qui manipule parce qu'il a peur de perdre l'attention et l'amour de l'être aimé.

Par exemple, quand elle se sent en manque de sécurité, madame peut basculer dans sa «femme des cavernes», et manipuler monsieur en utilisant le sexe (il rentre trop tard quand il sort avec ses amis, je ne lui en donne pas pendant quelques jours)!

Dans son rôle de femme des cavernes, une femme sera prête à tout pour assurer la survie d'une relation, même si elle est malsaine pour elle.

Pour vous, messieurs, c'est la partie en vous qui ne cherche que la prochaine chance d'avoir du sexe et de baiser, la pulsion. Voici une petite histoire qui le résume bien : Dans son bain, un jeune garçon examine ses testicules : «*Maman, c'est mon cerveau ?*», demande-t-il. «*Pas encore !*», répond-elle !

La relation de la caverne est d'abord menée par nos hormones. L'intuition est inaccessible et ignorée, l'instinct prend le dessus et les décisions !

Dans notre société évoluée, bon nombre de gens «civilisés» sont complètement menés par leurs pulsions de Cro-Magnon.

Ne vous en faites pas outre mesure, vous savez à présent que vous êtes normal, seulement vous agissez parfois inconsciemment. Nous le faisons tous à certains niveaux, à certains moments, de toute façon ! Heureusement, avec un peu de travail et de volonté, il est toujours possible d'évoluer et de choisir la conscience plutôt que cette partie conditionnée...

Choisir la conscience et sortir de sa caverne...

Oui, il est possible de choisir la conscience et sortir de sa caverne, de permettre à la relation de passer à la prochaine étape de son évolution. Notre but n'est pas de vous forcer à croire que c'est facile, ça ne l'est généralement pas !

Évoluer et ouvrir sa conscience demande beaucoup de maturité, une grande discipline, de la détermination, et une vision claire de ce que vous voulez créer au cœur de votre relation.

Beaucoup de gens sont maintenant à cette croisée des chemins. Ils évoluent consciemment d'une relation d'adversaires à une relation de PARTENAIRES...

SEXSHIP = PARTNERSHIP (PARTENARIAT)

En s'adaptant à un nouveau modèle relationnel, nos repères disparaissent, c'est ce qu'on appelle l'évolution! Nous vous le rappelons, la définition de l'Amour SEXSHIP est l'ART de l'INTELLIGENCE SEXUELLE, et non l'art de la facilité sexuelle!

Oui, ce concept implique de faire l'amour pour générer plus d'amour, mais encore faut-il d'abord qu'il y ait de l'amour entre deux personnes. Sinon ça ne reste que du sexe pour assouvir une pulsion vide de sens réel.

Nous aspirons tous à une vie remplie d'amour, de connexion et de complicité avec l'être aimé. Et tout le monde peut apprendre comment faire. Les relations amoureuses sont d'ailleurs notre petit laboratoire personnel de croissance et d'ouverture de conscience...

La personne la plus proche de nous est celle qui reflète le plus notre lumière, mais aussi notre ombre: l'Enfant intérieur, cette partie en nous qui souffre. Dans cette proximité de couple, nous pouvons voir clairement ce qui nous reste à nettoyer et GUÉRIR INTÉRIEUREMENT...

Différencier une relation «des cavernes» d'une relation «de cœur»

Vous ne pouvez pas vous «libérer» de votre partie «des cavernes». C'est un fait. Le défi est plutôt de choisir de la laisser sortir au BON moment!

Vous pouvez rester cloîtré dans vos pulsions et vos peurs, mais vous pouvez aussi être honnête avec vous-même, faire preuve de conscience, et accomplir des gestes basés sur les qualités du cœur. Au bout du compte, ça reste toujours un choix.

Pour discerner si une relation prend forme dans le cœur ou la caverne, il est impératif de se pencher sur les faits, les résultats, et les émotions y étant reliées. Quand on chemine à travers une relation «des cavernes», la plupart du temps nous ne sommes pas vraiment nous-même, mais plutôt une pâle réflexion de notre potentiel dormant («relationnellement» parlant!).

Pour réussir à y subsister, nous développons l'habitude de MANIPULER pour obtenir ce que nous désirons. Ce réflexe en apparence pratique et efficace se révèle en fait une prison dorée qui nous empêche d'exprimer réellement qui nous sommes vraiment…

Quand on vit dans une relation «des cavernes», on est en réalité PRISONNIER, il est impossible d'exprimer qui l'on est.

Ainsi, pour différencier une relation «des cavernes» d'une relation consciente «de cœur», il faut d'abord se poser quelques questions… et y répondre en toute honnêteté! Ce sont des questions qui peuvent sembler simples, mais si elles sont posées avec sincérité, elles peuvent déclencher une ouverture de conscience… Notez bien que le processus est IRRÉVERSIBLE!

Clarifiez votre style de relation : suis-je dans une relation «de cœur» ou une relation «des cavernes»?

1. Suis-je SATISFAIT de ma relation?

2. Est-ce que mon partenaire me SOUTIENT et m'ENCOURAGE à être qui je suis vraiment, et plus encore?

3. Suis-je à l'AISE et moi-même avec cette personne?

4. Est-ce que je me SENS MIEUX après avoir passé du temps avec cette personne?

5. À quelle intensité, quel pourcentage suis-je ATTIRÉ SEXUELLEMENT par cette personne? Notez que si le pourcentage est très élevé (60% et +), il est fort probable que cette attirance mène votre relation.

6. Est-ce que j'ai mes «MUST»? Y a-t-il des «DEAL BREAKER» que j'accepte difficilement?

Exprimez avec clarté votre vision d'une relation amoureuse

Une fois que vous avez répondu en toute franchise aux questions précédentes, il vous incombe de mettre encore plus en lumière le fruit de votre réflexion. Plus vos priorités seront claires, plus vos chances de bonheur amoureux augmenteront.

La clarté, c'est du pouvoir concentré! Votre succès dépend de votre capacité de clarifier ce que vous voulez vraiment, mais aussi de votre courage à l'exprimer à voix haute.

Au risque de vous sembler direct et ferme, certaines choses ne peuvent être négociées dans la vie, et votre bonheur en couple en fait partie ! Si vous recherchez le bien-être à long terme, il est impossible de négocier et faire des compromis sur ce qui fait vibrer votre cœur, sur ce que vous voulez vivre et expérimenter pour le reste de votre vie amoureuse.

Si vous voulez ce que les autres n'ont pas, vous devez être prêt à faire ce que les autres ne font pas…

Voici donc deux points essentiels à clarifier pour trouver un bon partenaire ou encore soutenir l'évolution du couple !

1. Qu'est-ce que je suis prêt à DONNER à cette relation (même si je ne suis pas toujours super excité de le faire, je suis prêt à le donner) ?

   Exemple : Je suis prête à lui laisser son voyage de pêche avec les gars chaque année. Je suis prête à lui donner sa soirée de poker chaque semaine.

2. Quels sont mes « Must » ? Qu'est-ce qui est ESSENTIEL à mon bonheur ? De quoi ai-je vraiment besoin pour être heureux et satisfait dans cette relation ?

   Exemple : J'ai BESOIN de sexe au minimum trois fois par semaine OU je veux me marier et avoir des enfants.

Quels sont mes « Deal Breaker » ? Y a-t-il des facteurs qui, s'ils sont absents ou présents dans ma relation de couple, me rendront malheureux ou empêcheront mon bonheur ?

Exemple : Je ne tolère pas l'infidélité, ou les abus de drogue, etc.

Croyez-le ou non, avec un peu de temps, le simple fait de répondre sincèrement à ces questions, de clarifier votre vision et de reconnaître la partie « des cavernes » en vous, influera grandement sur votre quotidien. En reconnaissant vos besoins profonds, vous commencez à nettoyer et vous déclenchez votre guérison.

Petit à petit, votre énergie s'adaptera à votre vision intérieure, se transformera et influencera naturellement votre partenaire à un niveau bien subtil. Il y aura inévitablement une TRANSITION où la relation basculera vers le prochain stade de son évolution… peu importe ce que ça représente (un rapprochement significatif, une discussion profonde, une rupture, tout est possible) !

Rappelez-vous que, quand vous respectez une idée, un nouveau choix, tout en étant parfaitement clair intérieurement, tout change autour de vous. Pourquoi ? Parce que vous changez intérieurement !

Notre monde extérieur est toujours une réflexion directe et proportionnelle de notre monde intérieur…

Les amis avec bénéfices

Vous vous en doutez bien, en abordant le thème de l'homme et de la femme des cavernes, il nous était impossible de ne pas traiter d'un sujet très à la mode dans notre société moderne : les amis avec bénéfices !

« Sex buddy », « fuck friend », voilà comment on nomme aujourd'hui les personnes avec qui l'on partage les plaisirs de la chair, sans toutefois s'investir émotionnellement…

Mais est-ce bien réaliste d'écrire que l'on ne s'investit pas émotionnellement ? Est-il possible que ce ne soit qu'un mythe et qu'un des deux partenaires finisse toujours par s'attacher et souffrir de la situation, au bout du compte ?

C'est vrai, les temps ont bien changé. Quand on y pense, en reculant à peine de 50 ans, le concept de libertinage était complètement proscrit par l'institution qui régissait nos faits et gestes, le clergé ! Non ! Par le passé, si on voulait consommer notre amour (ou notre attirance), on devait se marier ! Et que se passe-t-il quand on interdit quelque chose à quelqu'un ? L'envie et le désir d'interdits le poussent à se rebeller un jour ou l'autre…

Évidemment, parce que l'humanité aspire à l'équilibre, un mouvement de balancier, un effet domino vers l'autre extrême s'est déclenché afin de rééquilibrer la situation. Avec pour résultat qu'aujourd'hui plusieurs donnent leur corps au premier venu en faisant fi du côté sacré de cet acte. C'est maintenant chose normale et socialement acceptée que d'avoir une collection de partenaires entre lesquels on peut transiter !

Les fins de soirée sont maintenant meublées de textos, utilisés comme des lignes lancées à l'eau, permettant de sélectionner rapidement et facilement la prise de la journée, celle qui sera consommée en fin de soirée !

Avant d'aller plus loin, disons d'abord que nous ne sommes pas ici pour condamner ce comportement. Au contraire, il fait partie d'un mouvement de libération et d'exploration, un juste retour du balancier pour compenser toutes ces décennies de castration dans la conscience collective.

Toutefois, l'équilibre ne se trouve pas dans les extrêmes, mais plutôt dans la voie du juste milieu. Notre point de vue est en fait bien simple : chaque action entraîne une réaction proportionnelle, chaque geste (conscient ou non), génère une conséquence : un prix à payer ou une récompense à récolter !

En êtes-vous conscient ?

Nous l'avons déjà mis en lumière, or, selon notre conception d'un Amour SEXSHIP, la sexualité est vécue avec un seul partenaire, dans une relation monogame et engagée. Vient un moment où un choix doit être fait : baiser pour baiser et vivre en fonction de ses pulsions « des cavernes » ou encore INVESTIR dans une relation engagée et évoluer en couple tout en se donnant du plaisir !

Selon la perspective SEXSHIP, la dynamique d'une relation d'amis avec bénéfices est d'abord basée sur l'assouvissement de pulsions et la recherche de plaisirs immédiats… en concordance avec les valeurs de notre société occidentale ! Cette forme de relation n'est PAS ancrée dans un engagement du cœur, mais plutôt dans un échange de fluides et d'émotions éphémères.

Malheureusement, cette manière de faire a bien souvent pour effet global de traiter le sexe de façon cavalière, non pas comme un acte sacré entre deux personnes qui s'aiment. Le raisonnement des partenaires de baise est souvent relié à la peur de la solitude : en espérant et en attendant la « bonne personne », j'abaisse mes standards et me contente d'une collation temporaire ! On décèle trois problèmes majeurs avec ce concept…

Premièrement, aussi ingénieuse que cette idée puisse sembler, elle satisfait en priorité l'homme ou la femme des cavernes en nous. Cette forme de relation bloque littéralement nos chances de vivre une relation plus riche de sens et de profondeur avec nous-même, car la partie «des cavernes» prend trop de place…

Deuxièmement, cette forme d'engagement «sans engagement» empêche, énergétiquement parlant, les deux personnes impliquées dans cette relation d'attirer et d'accéder aux partenaires idéaux pour eux. C'est une conséquence énergétique (vous en apprendrez davantage au chapitre 7).

Sur un plan plus rationnel, si on est satisfait momentanément, on finit bien souvent par se contenter de quelque chose de correct ou de «pas pire». Ainsi, si on s'accommode du «pas pire» relationnel, notre vie ne sera limitée qu'à une expérience «pas pire» de la réalité…

À l'opposé, si on n'accepte que le meilleur, LE MEILLEUR NOUS SERA SERVI PAR LA VIE!

Troisièmement (ce point s'adresse aux femmes), lors de l'orgasme, une hormone nommée ocytocine est libérée dans votre corps. Cette hormone crée un sentiment d'attachement PUISSANT, le même qu'une maman éprouve avec son enfant! Chez la femme, au moment de l'orgasme, l'hormone déclenche un profond sentiment d'attachement instinctif qui subsiste pendant environ trois semaines! Chez l'homme, elle ne reste que trois jours dans son système.

Alison Armstrong, présidente du PAX Program (issu du mot latin paix et acronyme de PARTNERSHIP, ADORATION and XTASY), a dédié sa carrière à l'étude des relations hommes-femmes et l'effet des hormones sur la gent féminine. Elle a d'ailleurs découvert un fait très intéressant…

Mesdames, prenez conscience de ceci:

Quand un homme vous fait jouir, une réaction en chaîne s'ensuit et vous vous attachez à lui, sans même le réaliser ou le décider. Cet attachement hormonal est non seulement un élément stressant important sur le corps de la femme, mais il est aussi littéralement incontrôlable.

En résumé, coucher sans engagement et sans sentiment, ça finit par coûter cher émotionnellement !

Alors, je passe ou quoi ?

Est-ce donc mal, bien, neutre ? Le concept d'amis avec bénéfices est-il à proscrire ? Puisque ce livre est entre vos mains, il est évident qu'une partie de vous aspire à une union intime, noble et engagée.

Si votre désir le plus sincère est de vivre l'expérience totale, l'Amour avec un grand A, alors oui, il est préférable de passer son tour. Le plaisir à court terme, ça fait du bien, certes, mais le prix à payer pour l'expérimenter peut être exorbitant.

Si vous décidez de vivre une relation « temporaire », il y a de fortes chances que l'univers continue de vous envoyer d'autres opportunités bien similaires à cette dernière…

Ne souffrez pas inutilement, patientez intelligemment !

Tout en vous préparant à accueillir la « bonne personne », aussi bien clarifier les critères sur lesquels vous la reconnaîtrez…

Chapitre 4

L'équation du bonheur en couple

« Je n'ai jamais trompé ma femme.
Aucun mérite : je l'aime ! »
— Georges Duhamel

Pour la plupart des gens, commencer une relation est remarquablement facile ! Une attraction est exercée sur nous lors des premières rencontres (ou pas !), on se fréquente un temps, jusqu'à ce qu'on s'engage plus sérieusement. Modèle typique d'une vie de couple qui naît, vit, et parfois (assez souvent !), s'éteint.

Tomber amoureux de quelqu'un, c'est une chose, mais créer une relation qui perdure, s'intensifie et se bonifie avec les années, c'en est une autre. Pour beaucoup, faire durer l'amour entre deux personnes, c'est un mystère à élucider aussi digne que le secret de la Caramilk !

Quant à nous, nous sommes persuadés que l'équation du bonheur en couple est en fait relativement simple. Il faut d'abord en connaître les éléments et ensuite apprendre à les reconnaître au bon moment. Il faut également se dire la vérité et s'écouter quand on sait si c'est un bon partenaire pour nous ou non !

Voici donc les préalables essentiels, les composantes de l'équation du bonheur pour que ça fonctionne à long terme :

L'équation du bonheur en couple :

CHIMIE + COMMUNICATION
+ COMPATIBILITÉ / COMPLÉMENTARITÉ

1. La chimie

Ici, il n'existe pas de potions magiques ou de paroles enchanteresses pour recréer le résultat. En fin de compte, la chimie est un des plus puissants facteurs qui nous attire (ou non) vers une personne.

Nous pourrions évoquer l'angle plus scientifique du sujet en précisant les phéromones qui émanent de notre corps (ces odeurs érotiques très subtiles), et comment les personnes qui croisent notre chemin sont inévitablement repoussées ou attirées vers nous en les humant de façon inconsciente. Mais voici la version simplifiée :

La chimie est un don des dieux !

Admettez-le, il arrive souvent et on ne sait pas vraiment pourquoi on est attiré par une personne… On l'EST, c'est tout !

Oui, bien sûr, on peut se reporter à notre liste, nos critères et nos standards. Mais parions que vous êtes probablement déjà tombé amoureux d'un partenaire qui ne correspondait en rien à la majeure partie de vos standards habituels. Tout ça est attribuable à une mystérieuse attirance qui défie toute logique !

Qui sait, peut-être êtes-vous encore en couple avec cette même personne. Ça marche ? Vous êtes heureux ? Eh bien, si les deux autres composantes de l'équation sont présentes, il se peut fort bien que vous soyez encore amoureux !

Chose certaine, cette chimie entre deux êtres est impossible à créer. En fait, elle est similaire à un orgasme. Au moment où vous vous demandez si vous en avez eu un, c'est que vous n'en avez pas eu ! Cette attirance, quand elle est présente, est plus forte que nous, la chimie est un aimant.

De même quand vous vous demandez si vous avez des papillons dans l'estomac pour une personne. Vous n'en avez PAS ! Sinon, la question ne se poserait tout simplement pas, vous en sentiriez la vibration. Soyez honnête, arrêtez d'essayer de vous convaincre du contraire !

Une vie de couple sans chimie sera à long terme très difficile à garder bien vivante, surtout pour le partenaire dont l'énergie sexuelle et sensuelle est plus omniprésente. Ces relations finissent fréquemment par être touchées par l'infidélité et la tricherie. Pourtant, il existe des couples qui vivent bien sans chimie. C'est un fait ! Ces couples ressemblent généralement aux meilleurs amis du monde. Et c'est bien parfait s'ils en sont tous deux satisfaits !

Tout est possible…

Mais la chimie est un don des dieux, si elle n'est pas là dès le début, elle n'y sera jamais. L'amour pourra croître quand même grâce à la communication et la complémentarité, mais il est virtuellement impossible que la chimie se pointe le bout du nez comme par magie. Par conséquent, si la chimie entre votre partenaire et vous est essentielle à votre épanouissement, observez consciemment dès le départ comment vous vous sentez auprès d'elle ou lui.

De plus, une façon TRÈS efficace de mesurer la chimie qui passe entre vous, c'est de ressentir et reconnaître l'état d'être qui vous habite APRÈS avoir passé un moment en compagnie de cette même personne. De manière générale, si vous ne ressentez pas de papillons dans le ventre après trois rencontres tout au plus, et que vous êtes à la recherche de l'amour de votre vie, vous devrez faire un choix… facile pour certains et difficile pour d'autres :

A) Entretenir cette relation, pour toutes sortes de raisons (besoin de connexion, sexe, attention, fuir la solitude, etc.).

B) Continuer votre quête amoureuse avec ouverture, curiosité et patience. Sachant que le partenaire idéal est sur votre chemin… vous ne vous êtes tout simplement pas encore croisés (ça demande en général une bonne dose d'espoir et de foi en la vie)!

Entre-temps, mettez en lumière ce que cette personne a éveillé en vous. C'est bien souvent un indice de votre capacité à manifester votre intention; ce qui vous rapprochera du partenaire rêvé…

C) Amendement aux clauses A et B : Selon notre expérience, il arrive parfois que la chimie, pour toutes sortes de raisons explicables et inexplicables, ne soit pas présente lors du tout premier rendez-vous, mais qu'elle se développe rapidement à la suite de quelques rencontres.

Ce fait est attribuable à bien des facteurs, entre autres, au désir de performance ou à la timidité qui s'estompe, etc. Quoi qu'il en soit, si vous avez la moindre raison de croire que la personne devant vous a quelque chose de valeur à offrir, un trésor caché… soyez curieux, inquisiteur, et donnez une deuxième, même une troisième chance au coureur !

2. La communication

Bonne nouvelle ! Si la chimie est absolument indépendante de votre volonté, la communication l'est entièrement !

Encore mieux, vous avez entre les mains l'outil par excellence pour développer cette capacité qui se raffinera avec le temps et un peu de pratique. Ce sujet est si important qu'il vous est possible de trouver des centaines de livres en librairie sur l'art de bien communiquer avec votre partenaire.

Avec *L'Amour SEXSHIP* (le livre et les formations), vous serez initié à une manière simple, facile, efficace et légère de révéler vos besoins, tout en évitant les malentendus et les pièges qui minent une relation… Même s'il existe une chimie phénoménale entre votre partenaire et vous, sans une communication active, claire et énergique, votre couple sera touché à moyen ou long terme par une crise perpétuelle.

C'est le lot des couples qui, la plupart du temps, s'engueulent et baisent pour se réconcilier… à répétition. Un calvaire infernal et incessant où les deux parties s'entredéchirent et s'imaginent que les brefs moments où ils connectent au lit représentent la meilleure qualité de relation qu'ils puissent atteindre ! Que d'illusions et de croyances limitatives !

Honorez cependant les efforts que vous faites pour réussir en amour… vous êtes sur le chemin qui vous mènera vers votre âme sœur!

3. La compatibilité et la complémentarité

La compatibilité et la complémentarité forment probablement le facteur le plus flexible des trois dans l'équation du bonheur en relation. Il existe nombre de couples qui sont moins conciliables, voire peu compatibles, et qui malgré tout réussissent très bien à long terme. La raison en est d'ailleurs fort simple : si la compatibilité est d'emblée moins présente, il est toujours possible de miser sur la complémentarité.

On est pareils et on s'entend à merveille ou on est différents et on se complète parfaitement!

Le défi est, pour la paire, de reconnaître le pouvoir de la complémentarité et de l'utiliser en équipe plutôt qu'en adversaires, en mode compétition… Là où l'un est moins fort, il laisse son partenaire s'engager et prendre plus de place. Et ça fonctionne!

Les voies de l'univers sont impénétrables, et parfois les alliances amoureuses naissent sous le signe (ou plutôt le sens) de l'humour! C'est parfois l'ironie de la vie. On peut observer un couple où l'un est doué pour les finances et l'autre pas du tout, et il est même avare… Ou encore un mariage ou l'un est souvent à la course, et l'autre à pas de tortue.

L'un ENSEIGNE à l'autre, aide son partenaire à GRANDIR, et vice versa.

SEXSHIP, *ça signifie aussi PARTNERSHIP!*

Le duo compatibilité et complémentarité rend la vie vraiment plus facile! Fort heureusement, cet aspect est totalement négociable. Plusieurs couples ne semblent initialement pas compatibles, mais l'amour qu'ils se portent l'un à l'autre rend l'apprentissage possible. Ce sont bien souvent les couples qui vivent ensemble le plus longtemps en harmonie qui sont les plus solides, quoi !

Dans sa pratique, Chantal est régulièrement témoin d'insoupçonnables métamorphoses chez toutes sortes de couples… TOUT est possible.

Bref, la formule magique du bonheur en relation amoureuse est de commencer par la recherche d'un partenaire avec qui vous avez une certaine chimie, puis de mettre vos véritables besoins sur la table dès le début. À partir de là, pour vous faciliter la vie, il vous reste à apprendre à communiquer et à répondre à vos besoins mutuels dans le couple le plus rapidement et honnêtement possible.

Ultimement, la passion des débuts se transformera et fera place à une communication plus intime où la complicité, la compatibilité et la complémentarité auront un rôle essentiel à jouer…

Rappelez-vous que, au cœur du modèle SEXSHIP, tout est négociable, mais ces trois composantes de l'équation font partie d'une toile de fond, d'un canevas de base pour ébaucher votre bonheur à deux. Pour autant que nous sachions, si un des trois facteurs est manquant ou négligé, le couple a plus de chances de vivre des difficultés à moyen ou long terme. Mais s'ils sont tous présents, la potentialité de bonheur croissant est à son apogée. C'est une recette extrêmement puissante pour atteindre l'harmonie et la satisfaction des deux partenaires engagés.

D'autre part, il reste qu'une des meilleures façons de négocier l'harmonie est de faire l'amour, et ce, non seulement de manière à réparer les pots cassés, mais plutôt pour bâtir et élever le couple à un niveau spécialement plus fusionnel.

Plus vous ferez l'amour, plus il vous sera facile de négocier. Ça deviendra peut-être même inutile! Êtes-vous en mesure de concevoir cette réalité? Soyez patient, on y arrive…

L'équation du bonheur en couple comporte :

CHIMIE + COMMUNICATION + COMPATIBILITÉ ET/OU COMPLÉMENTARITÉ

CHAPITRE 5

Comprendre les conflits

« Personne ne gagnera jamais la guerre des sexes ;
il y a trop de fraternisation avec l'ennemi. »
— HENRY KISSINGER

C'est un constat triste à faire, mais les conflits entre les hommes et les femmes ont malheureusement toujours été là et remontent à la nuit des temps…

Prenons par exemple l'histoire biblique d'Adam et Ève, les tout premiers à se quereller ! Pour résumer simplement, Dieu demanda à Adam et Ève de ne pas toucher à l'arbre de la connaissance, de la science du bien et du mal. Cet arbre du paradis terrestre portait des fruits à l'apparence plus qu'alléchante…

Ève insista tant pour cueillir une pomme dans l'arbre qu'elle influença Adam qui prit une bouchée du fruit défendu.

Évidemment, elle avait à cœur la croissance du couple et l'amélioration de leurs conditions de vie. C'est ce qu'elle disait, et elle le pensait vraiment (vous comprendrez plus tard l'importance de ce point) !

Adam, de son côté, était prêt à tout pour plaire à Ève et la rendre heureuse. C'est pourquoi il décida de mordre dans la fameuse pomme en question.

Comme le disait le célèbre écrivain Jean Cocteau « *Sexe : le fruit d'Ève fendu.* »

Instantanément, Dieu les confronta. Et comment réagit notre Adam ? Il blâma Ève ! Oui, il la pointa du doigt ! C'est ainsi qu'on jeta les premiers blâmes sur la femme et que commença la déresponsabilisation de l'homme dans le couple !

Bien sûr, il y a toujours deux revers à une médaille. De son côté, Ève cherchait à tout contrôler pour se rassurer (avec une intention positive, mais quand même) ! Dès le départ, elle mit de l'avant son point de vue, sa pensée… et avec charme, elle influença (pour ne pas dire manipula) Adam afin qu'il consomme le fruit défendu.

Vous pigez maintenant ?

Selon nos héritages génétiques et conditionnements respectifs, la femme « pousse » en faisant valoir généralement son point de vue et influence l'homme… qui lui blâme la femme et n'assume pas entièrement le fruit de ses actions quand les résultats ne sont pas concluants ! De là émerge un défi relationnel important…

Comment les conflits prennent forme… et l'art de les désamorcer !

Dès le départ, tous les couples recherchent la même chose : l'HARMONIE et l'INTIMITÉ en amour. Nous avons tous des stratégies différentes pour satisfaire ces désirs, n'empêche, ils sont les mêmes pour tous. Voici pourquoi ces besoins ne sont pas toujours comblés :

Les hommes et les femmes sont fondamentalement différents, mais ils gèrent le sexe opposé de la même manière que le leur !

Lecture de pensée, projection, anticipation, imagination… ce sont parfois des mots aux connotations très positives. Mais dans ce cas précis, ce sont les causes inhérentes à cette distance, à ce grand écart qui se crée entre l'homme et la femme. Refuser de reconnaître ce fait, c'est se condamner à souffrir en couple!

Voici une vue d'ensemble du défi, décortiquée de manière détaillée :

Le début

L'aventure débute d'abord de votre côté, mesdames (merci à l'avance de rester ouvertes)! De manière générale, vous vous connaissez peu, voire assez mal. Restez simplement attentives à cette réflexion…

Cet état de «manque de connexion» crée inévitablement un sentiment de VIDE à l'intérieur de vous.

Voyez-vous, la plupart des femmes sont encore à la recherche de ce dont elles ont VÉRITABLEMENT besoin. Posez-vous la question. Si votre niveau de satisfaction quant à votre vie amoureuse ne vous convient pas, c'est peut-être parce que vous cherchez à y intégrer en ce moment vos VRAIS besoins, et qu'ils ne sont toujours pas comblés. Pas ceux que la société vous dicte et vous conditionne à considérer comme vrais, importants, et essentiels. NON! Ceux dictés par votre ESSENCE.

Le bonheur en couple ne signifie pas nécessairement d'être mariés, de vivre dans tel ou tel quartier, et d'avoir 2,2 enfants… C'est différent pour chacun. Et votre mission est de reconnaître ce qui vous rendra vraiment heureuse et profondément satisfaite au sein de votre couple, MAINTENANT!

Finalement, votre priorité est d'apprendre à faire la différence entre vos véritables besoins, ceux qui augmentent la qualité de votre vie (par exemple, aimer et être aimée), et les besoins qui ajoutent du plaisir à votre vie (par exemple, une nouvelle garde-robe ou une voiture de l'année).

La confusion masculine

Par la suite, comme la nature profonde de l'homme est de protéger et pourvoir aux besoins de la femme, le manque de clarté et de précision transforme son rôle en mission quasi IMPOSSIBLE!

Soyons honnêtes, le mouvement féministe a grandement contribué à l'avancement de la femme, et c'est extraordinaire! Mais, côté amour, il a aussi compliqué la tâche de l'homme et déféminisé la femme!

Depuis sa naissance à la période Cro-Magnon, le mâle a été programmé au niveau cellulaire pour servir et PROTÉGER la femme. C'est son rôle, qu'il l'admette ou non! Avantageusement, une fois cette vérité acceptée, il connecte avec son essence profonde et fait la paix.

Un homme assumé SAIT et FAIT tout pour protéger et pourvoir aux besoins de sa partenaire. Il est si congruent qu'il génère un pouvoir de charme et de séduction prodigieux...

Ainsi, si la femme ne sait pas quoi demander à son homme, ou encore qu'elle hésite à la faire, l'homme reste confus (ou simplement ignorant de ce qui est essentiel pour elle), car il ne connaît pas sa mission. Il devient alors très difficile et frustrant pour lui de la satisfaire. C'est une forme d'émasculation...

La solution

La solution est donc évidente :

Femmes du nouveau monde, prenez la responsabilité d'expliquer à votre homme ce dont vous avez vraiment besoin, ce qui vous fait du bien, et surtout, l'impact que ses gestes auront sur votre vie future !

Informer son homme de ses désirs est une des plus belles façons de créer de l'intimité, d'éviter les conflits, et surtout, de nourrir l'énergie masculine en lui.

L'astuce est d'avoir le courage de demander, de se donner la permission de le faire, de s'ouvrir et de développer une approche, une manière adaptée et intuitive pour aller chercher le meilleur de votre amoureux. Par exemple, quand votre partenaire vous touche, vous parle, vous regarde, prend soin de vous de telle ou telle manière, et que ça vous rend complètement amoureuse… DITES-LE-LUI !

En étapes simples, mesdames, vous devez d'abord découvrir et prendre conscience de ce dont vous avez besoin pour être heureuses. Une fois ces éléments établis, vous serez en mesure de les expliquer et de les enseigner à votre homme. Quand celui-ci se mettra en action pour vous combler, il sera dès lors impératif de lui démontrer votre gratitude et votre appréciation. Rien n'a autant de pouvoir chez une femme que le soutien de l'homme qu'elle aime.

La majorité des hommes vous diront qu'ils préfèrent grandement des suggestions, subtiles ou non, au lieu d'y aller « au pif ».

Encore plus, en matière de sexe et de vérité, ce que la plupart des hommes souhaitent vraiment, c'est de satisfaire et d'ASSURER la jouissance de leur femme.

Et pour y arriver, c'est bien plus facile avec des indications! Même si les hommes n'aiment pas demander des directions en voiture, au lit, ils l'apprécient! Quand il connaît les besoins de sa partenaire, l'homme a intérêt à trouver des moyens pour y subvenir. Comme le dit le dicton: «Quand maman est heureuse, toute la famille est heureuse!»

Nous sommes à la fois partenaires et complémentaires par nos natures différentes. Dans un couple alimenté par l'amour, tout peut être appris et nourri!

Voilà une partie de la recette qui crée et entretient la promesse d'une relation où l'amour et le sexe sont présents et vivants. Les couples heureux s'aiment davantage avec le temps...

Informer son homme de ses désirs et apprécier ses efforts investis pour les combler, voilà l'une des plus belles façons de créer de l'intimité et d'éviter les conflits!

CHAPITRE 6

L'énergie de l'amour

« *L'amour est la plus universelle, la plus formidable
et la plus mystérieuse des énergies cosmiques.* »
— PIERRE TEILHARD DE CHARDIN

Le mode d'emploi SEXSHIP est aussi basé sur
l'énergie.

TOUT, absolument TOUT est énergie.

Plus vous reconnaîtrez l'énergie extraordinaire qui
vous habite, plus vous vous sentirez puissant. Sans
nécessairement entrer dans les détails, les plus grands
spécialistes et scientifiques de la planète s'entendent
maintenant sur une chose :

Tout ce qui est matériel, physique et matière, est
d'abord et avant tout de l'énergie. Cette énergie se manifeste à un taux vibratoire plus ou moins élevé grâce à la
conscience, l'intention et l'imagination. Tout ce que
l'humain conçoit est avant toute chose créé grâce à son
imagination, y compris ses relations !

La physique quantique (étude et observation de
l'infiniment grand et de l'infiniment petit) en est d'ailleurs la preuve tangible, mesurable et observable. À ce
sujet, nous vous recommandons fortement le docu-
mentaire *What the Bleep Do We Know ?* (Que sait-on

vraiment de la réalité ?), qui explique clairement et savamment les mystères de la physique quantique.

Toute maladie dans le corps se manifeste d'abord dans l'énergie, plus précisément dans les blocages énergétiques, qui entraînent à leurs tours des symptômes et répercussions sur le plan physique. Ainsi, c'est pour cette raison qu'il est crucial de comprendre l'énergie et sa manière de circuler au sein du couple afin d'y avoir accès pour l'utiliser et l'optimiser au lit !

Le CHI, le YIN, et le YANG

 « Le CHI est bien plus qu'une forme d'énergie, c'est une forme psychoactive d'énergie, c'est de la vitalité dirigée par notre conscience. »
— Stephen Russell, *The Barefoot Doctor*

Pour bien comprendre la danse énergétique entre les hommes et les femmes, il est essentiel de comprendre les fondements de base de l'énergie, du CHI, et des éléments qui le composent :

Le YIN et le YANG.

Le principe du YIN et du YANG remonte à des millénaires, il prit forme dans la culture chinoise. C'est le système sur lequel les Chinois se basent afin de créer l'équilibre dans toutes les parties de leurs vies : santé, finances, relations, amour, et bien sûr, sexualité ! On peut d'ailleurs reconnaître cette approche avec, par exemple, l'acupuncture.

Pour résumer brièvement, le YIN et le YANG sont des énergies qui prennent forme dans un paradoxe : bien que diamétralement opposés, ils sont inséparables et complémentaires… un peu comme les hommes et les femmes ! Le chaud et le froid, le blanc et le noir, les deux parties d'un seul et même tout, la dichotomie divine.

Ils composent ensemble un mouvement énergétique cyclique et alternant qui crée ce qu'on appelle le CHI : l'énergie de la vie et de la vitalité qui unit le corps, l'âme et l'esprit.

Cette énergie porte plusieurs noms, en fonction de l'endroit (et de la période dans le temps) où vous vous trouvez dans le monde. Par exemple, les chrétiens l'appellent « ESPRIT SAINT », les Indiens, le « PRANA », les JEDI « la FORCE » (en référence à *La Guerre des étoiles* !), et ainsi de suite.

Le CHI est l'énergie sacrée de l'univers sur laquelle repose la manifestation et la création de toute forme de vie. Une personne qui apprend à maîtriser cette énergie développera avec le temps une multitude de qualités et d'aptitudes telles que la concentration, l'intuition, créée et matérialisée par la conscience ; qui apprend à stimuler l'énergie du cœur, bref, à vivre dans son essence… et à prendre des décisions guidées par cette énergie sacrée.

Si on les décortique, le YANG est l'énergie masculine en nous. C'est une énergie qui se contracte pour produire la gravité, la densité, la chaleur. De son côté, l'énergie YIN (l'énergie féminine en nous) est en expansion pour permettre la diffusion, la légèreté, le froid et la quiétude.

La personnalité YANG est, plus active, concentrée et directe, tandis que la personnalité YIN est plus tranquille, subtile et magnétique. Vous percevez des similarités avec les modèles féminins et masculins ? Depuis le jour de votre naissance, vous avez développé des qualités et des aptitudes grâce à ces deux énergies.

Par contre, l'une d'elles est plus présente en vous…

Naturellement, les femmes ont une énergie YIN prédominante, tandis que les hommes sont plus YANG. Le YIN représente la réceptivité, l'ouverture, la transformation, l'eau et la terre, la capacité d'adaptation, l'endurance, la lenteur et le repos.

Le YANG est, au contraire, extraverti, créateur et bâtisseur, expressif, aventurier, dans l'action et combatif. Comme le feu, le YANG influe sur les choses rapidement et de façon plus spectaculaire, tandis que le YIN est plutôt une force tranquille, tout aussi puissante, mais plus discrète !

Oui, bien entendu, certaines femmes sont dotées d'une énergie YANG plus présente, et vice versa chez les hommes. La nature fait bien les choses et la diversité prime en ce bas monde. Reste que, le modèle SEXSHIP se base sur un fondement simple :

Les femmes et les hommes sont DIFFÉRENTS… même énergétiquement parlant !

Comment circule l'énergie

Voici comment circule l'énergie du corps humain qui est similaire à une boîte électrique avec des fusibles. Branchés à une source de courant, des fils électriques alimentent les appareils tels que le frigo, le micro-ondes, le téléviseur, etc. (comme les organes et les muscles).

Le corps, tout comme cette boîte électrique, possède des circuits énergétiques et dispose lui aussi d'un système électrique : le système nerveux. Il conduit des influx électriques aux différents organes et groupes musculaires de votre corps (majoritairement de manière inconsciente).

Il existe deux formes d'influx énergétique : conscient ET inconscient. Pour les influx conscients, de manière très simplifiée, ils prennent d'abord forme dans votre cerveau comme pensées (ou commandes) ; la pensée est transformée en une charge électrique minime qui circule à travers votre système nerveux.

Elle passe par la moelle épinière, et se dirige jusqu'au muscle de votre choix pour effectuer la commande. Par exemple, si j'ai le désir de boire un café, j'y pense, l'énergie (étant l'électricité et la chimie combinées) suit et appuie la pensée ; l'influx nécessaire pour accomplir la tâche est alors libéré du cerveau jusqu'aux muscles.

À ce sujet, la docteure et scientifique Candice Pert rapporte que l'on peut distinguer et mesurer des traces de CHI, d'électricité, dans tous les orifices de notre corps. De son côté, la docteure et acupunctrice Felice Dunas affirme que nous fonctionnons tous par chimie cellulaire (ou échange chimique) et influx électriques. Fascinant, n'est-ce pas ?

L'énergie de l'amour

Mais pourquoi parler d'énergie ? C'est simple ! Si vous vous ouvrez à cette vérité que vos émotions sont des charges énergétiques qui influent directement (et temporairement) sur votre état d'être, vous bénéficierez d'une IMPORTANTE avance pour réussir votre vie amoureuse...

Gardez en conscience qu'une émotion, c'est de l'énergie en MOTION !

Chaque émotion est constituée d'une charge énergétique. Si votre énergie (vos émotions) est mal canalisée ou encore bloquée, vous en subirez les conséquences, c'est-à-dire des effets désastreux sur votre santé et votre couple.

Lorsque nous ne sommes pas énergétiquement en harmonie, c'est tout notre système nerveux qui en souffre. Nous baignons dans une énergie négative qui affecte proportionnellement nos perceptions et nos échanges avec notre partenaire. En utilisant les outils SEXSHIP, vous apprendrez comment vous libérer des charges émotionnelles négatives et inutiles qui vous font souffrir (entre autres, avec la technique du bac de recyclage abordée au chapitre 10).

En résumé, l'énergie parfois bloquée s'accumule dans votre système nerveux et génère des débordements. Ces mêmes débordements sont trop souvent exprimés par des sautes d'humeur ou canalisés à travers des conflits qui peuvent être évités. Par exemple, Caroline Myss – une éducatrice spirituelle internationale – explique que l'énergie sexuelle non exprimée a des effets clairs, tels que les bouffées de chaleur durant la ménopause.

En apprenant à évacuer et à vous libérer de l'énergie accumulée au quotidien, vous serez en mesure de créer de l'espace pour reconnecter avec votre véritable essence.

Ce processus vous permettra d'atteindre un état de paix et d'harmonie sans pareil et d'être la personne avec qui votre partenaire a initialement connecté tout au début… vous! C'est l'énergie de l'amour…

L'amour sexuel est une des plus puissantes formes d'énergie créatrice sur terre… UTILISEZ-LA!

CHAPITRE 7

Comment circule l'énergie sexuelle de la femme...

« Les hommes portent leur cœur dans leur sexe,
les femmes portent leur sexe dans leur cœur. »
— MALCOLM DE CHAZAL

Soyons directs, de grâce, messieurs, prêtez grandement attention, ce chapitre s'adresse particulièrement à vous! À notre avis, les précieuses informations qui y sont dévoilées sont sacrées.

Ce que vous êtes sur le point d'apprendre a le pouvoir de CHANGER votre vie!

Si les femmes représentent pour vous un mystère incompréhensible, que vos yeux, vos oreilles, votre cœur et votre esprit soient grands ouverts...

L'équation sexuelle chez la femme

L'énergie sexuelle de la femme circule de la tête au sexe.

Commençons par un fait établi. Si vous voulez réussir à allumer votre partenaire, il est essentiel qu'elle pense du bien de vous... BEAUCOUP de bien!

Pour se laisser aller, elle doit respecter et admirer son homme. Pour lui faire une place de choix dans son cœur, elle doit avoir de l'estime pour lui et lui attribuer une grande valeur. C'est le point de départ, tout se passe au niveau de la tête et du mental.

C'est vrai, dans notre société moderne, beaucoup de femmes ont maintenant développé une énergie masculine. Certains les surnomment les femmes « ALPHAS » et « YANG ». Des femmes qui ont eu à « prendre en charge » leur vie.

Ces femmes désirent plus que tout avoir autant de succès en AMOUR qu'en AFFAIRES, mais elles cherchent encore comment y arriver. Une des solutions à ce défi est de vivre et vibrer davantage dans leur essence féminine, qui par nature, est une énergie YIN.

Selon vous, est-ce que les relations hommes-femmes sont de plus en plus faciles ou sont-elles au contraire plus difficiles et compliquées avec les années, voire les décennies qui passent ?

Si vous considérez que la vie amoureuse est de plus en plus compliquée, nous avons une offre pour vous… Grâce au concept SEXSHIP, nous vous proposons un pont entre l'amour et le sexe.

L'essence de la méthode SEXSHIP est d'encourager chacun des sexes à être en harmonie avec sa nature profonde. Un homme dans son « essence d'homme » et une femme dans son « essence de femme ».

Au bout du compte, c'est une vérité biologique et cellulaire à laquelle nous incluons quelques nuances pour notre société contemporaine ! Observez les animaux dans la nature. Inutile de posséder de grands diplômes ou titres pour comprendre que, quand le mâle se comporte de telle ou telle manière, et que la femelle fait la même chose de son côté, la relation prend naturellement son envol, sans complications ! Mais revenons à la femme et sa manière de faire…

La liste

Comme nous en avons touché un mot précédemment, quand une femme rencontre un homme pour la première fois, elle l'évalue en utilisant une liste de qualifications, de critères et de standards. Ce sont habituellement des éléments assez généraux comme le physique, une certaine qualité précise recherchée, un sourire accrocheur, etc. La liste est aussi variée que le nombre de femmes qui habitent la planète.

Si l'homme franchit cette première étape et lui plaît, elle utilisera alors une seconde liste, plus complète et précise, pour analyser le candidat. Mesdames, vous vous reconnaissez, n'est-ce pas ? Oui, vous passez toutes par ce processus, habituellement de façon inconsciente.

On dit que cette liste se dissimule toujours mieux sous une robe de mariée, car il y a beaucoup de place pour réussir à la cacher en dessous !

Le système de qualification de la femme étant complexe et sophistiqué, elle passera chacune de ses questions d'évaluation au peigne fin. Elle étudiera le menu d'amour que vous lui proposez… et rien n'y échappera : le travail, votre relation avec votre mère, la famille, les passe-temps, etc.

Dès le début, elle procédera à une évaluation sommaire pour reconnaître si l'homme en face d'elle est assez intéressant pour rester à ses côtés ! C'est une cueilleuse d'information PROFESSIONNELLE ! Le maximum, le mieux, et le plus vite possible.

La femme est plutôt pressée, elle est biologiquement programmée pour certaines étapes. Dès que le ramassage d'information est terminé, satisfaisant et positif (que l'offre est acceptée, quoi!), elle sera prête à passer à la deuxième étape : s'ouvrir à cet homme...

Quand un homme a réussi à faire bonne impression sur la femme, il passe alors à la deuxième et cruciale étape de la connexion. Au moment où elle le décide, il pourra accéder à sa partie la plus délicate et sensible... son cœur! Messieurs attention : CARGO TRÈS FRAGILE. Si vous la blessez, il est de votre devoir de réparer votre faux pas IMMÉDIATEMENT.

Plus vous tardez à réparer, plus vous paierez de l'intérêt. En clair, ça vous coûtera des orgasmes!

Et cet intérêt sera d'ailleurs cumulé. Comme avec une banque, si vous tardez à rembourser, les intérêts et les coûts augmenteront de jour en jour. Plus vite les hommes comprendront à quel point le cœur d'une femme est fragile, mieux ils réussiront en couple.

Quand la femme ouvre son cœur, qu'elle vous laisse entrer dans son jardin intime, quelque chose de très excitant se produit : son énergie descend vers le bas... Oui, chers amis, c'est à ce moment-là que son CHI active, nourrit, et prépare ses organes sexuels!

Au moment où le cœur s'ouvre, il se crée un mouvement similaire vers le bas... avec les jambes! L'énergie sexuelle de la femme fonctionne de la tête au sexe. Comme le dit la sage D^{re} Felice Dunas :

« Quand le cœur d'une femme s'ouvre... ses jambes s'ouvrent aussi »!

Vous comprenez maintenant un grand concept souvent bien mal interprété. Messieurs, voici le nouveau baromètre sur lequel vous pouvez précisément et rapidement comprendre où vous en êtes avec une femme.

Validez cette vérité auprès de la gent féminine de votre environnement, celles avec qui vous ne voulez PAS être lié sexuellement ! Elles vous confirmeront toutes l'exactitude de ces informations. D'ailleurs, elles peuvent devenir d'excellentes références pour authentifier vos nouveaux apprentissages. Posez-leur des questions et confirmez la véracité de nos dires, vous verrez bien !

L'accès le plus direct à l'affection sexuelle d'une femme est à travers sa tête, puis son cœur, et seulement ensuite son sexe !

Toutes les autres façons ne fonctionneront jamais vraiment pour avoir accès à l'affection féminine, sensuelle et passionnée. Dans notre société moderne, il est commun qu'une femme se donne à un homme sans qu'il y ait d'amour. Mais si vous voulez véritablement connecter sexuellement avec une femme, vous devrez d'abord passer par sa tête et son cœur. C'est d'ailleurs pour cette raison que plusieurs hommes flirtent sans succès... ils INVERSENT les étapes !

Plus vous ferez vibrer une femme de l'intérieur, plus elle vous fera vibrer de l'extérieur...

L'équation pour comprendre la circulation énergétique sexuelle de la femme est :

TÊTE ➻ CŒUR ➻ SEXE

Tout comme pour un coffre-fort, vous devez avoir accès au coffre, connaître les bons numéros de la combinaison, et les utiliser dans le bon ordre !

Une fois que vous intégrerez ces connaissances, ce sera définitivement beaucoup plus facile. Évidemment, ce n'est que le début, il y aura toujours plus à comprendre et à savoir. Les femmes resteront toujours bien mystérieuses, mais vous êtes sur la bonne voie!

Le secret qu'elle ne vous avouera jamais...

Vous voulez vraiment comprendre les femmes? Alors, lisez bien ceci: Le secret le mieux gardé de la femme, celui que plusieurs d'entres elles ont refoulé avec les années et la pression sociale, celui que le mouvement féministe a tenté de réprimer, c'est que...

Une femme a viscéralement besoin de se sentir en sécurité.

Et ce, sur tous les plans: physique, financier, familial, et surtout, émotionnel! C'est génétiquement intégré, elle est bâtie pour s'épanouir et rayonner quand elle se sent en sécurité! Pour vous, messieurs, ça signifie que votre partenaire doit savoir ET sentir que vous serez toujours présent pour elle.

Pour vous, femmes modernes!

Oui, les temps ont bien changé! Les rôles ont GRANDEMENT évolué depuis quelques décennies. Perçue au premier degré, sans nuance, cette explication sur le besoin de sécurité féminine peut créer des remous intérieurs chez vous, femmes du 21e siècle qui gagnez bien votre vie et carburez à l'indépendance. Avec raison!

Réfléchissez aux générations passées. Vos grands-mères et arrière-grands-mères avaient davantage besoin de sécurité matérielle, et cherchaient par conséquent un bon pourvoyeur. C'était un fait accepté. Aujourd'hui, une femme qui gagne bien sa vie ne recherche plus la même forme de sécurité…

Matériellement parlant, la femme moderne gère très bien par elle-même ses propres affaires ! Elle est indépendante et peut se payer ce qu'elle désire, quand elle le désire. Elle prend toutes les décisions dans sa vie dont elle est responsable ! Pas de doute, les femmes ont beaucoup évolué… mais pas leurs besoins intimes et fondamentaux.

Vous êtes fortes et en maîtrise, absolument. On le reconnaît ! Mais vous avez aussi besoin, à certains moments, de ne plus être en charge de tout et de vous laisser aller afin de vous abandonner à votre énergie féminine, à la déesse en vous. Pour ce faire, il est essentiel que vous vous sentiez en sécurité.

Il y aura toujours en vous un besoin d'être reconnue dans votre féminité. La féminité est un état d'être, on peut avoir l'air d'une femme sans se sentir femme. Il est pour vous essentiel que l'on reconnaisse qui vous êtes VRAIMENT et ENTIÈREMENT… même en ce qui a trait aux parties de vous que vous aimez moins (ou pas !). Pour vous permettre d'exprimer pleinement la femme que vous êtes, vous avez besoin de passion, d'affection et de tendresse ; de ressentir votre féminité et d'être l'être sensuel, tantôt douce, tantôt lionne, que vous êtes.

Mesdames, vous pouvez aller conquérir le monde dès que vous franchissez la porte de votre foyer, mais à la maison, donnez-vous la permission d'être la femme douce et sensuelle aux côtés de votre homme. Faire confiance et vous laisser aller sont des clés qui vous permettent de ressentir votre féminité.

Nous parlons ici précisément de laisser émerger un aspect de vous qui, au quotidien, quand vous fonctionnez à plein régime, reste souvent caché parce que vous devez performer. Un besoin qu'il vous est essentiel d'exprimer :

Votre VULNÉRABILITÉ.

La vulnérabilité permet l'expression de la féminité.

Votre féminité représente la fleur, et votre vulnérabilité, son jardin. Vous avez besoin d'un jardinier qui les connaît bien pour en prendre grand soin ! Voyez-vous qu'il y de la place pour un « gardien de sécurité » ?

Pour être votre gardien, votre partenaire doit sentir que vous reconnaissez l'importance de sa présence à vos côtés. Beaucoup d'hommes sont aujourd'hui hésitants à prendre en charge… Les femmes modernes sont d'une telle efficacité hors du lit que les hommes à leurs côtés ne se sentent pas toujours adéquats ou à la hauteur. Ils n'ont pas l'impression que vous avez besoin d'eux.

Messieurs, vous voulez vous assurer que votre femme se sente en sécurité ? Il n'existe pas de formule universelle, c'est toujours du cas par cas. La meilleure façon est de lui demander. Quand ce sera clair pour elle, elle vous le communiquera. Ainsi, développez l'habitude de poser ces questions à votre chérie :

« Que puis-je faire pour apaiser ce qui te trouble ?

Que puis-je faire pour que nous soyons en paix ? »

Pour qu'une femme se sente en sécurité et exprime sa vulnérabilité, elle a besoin d'un pilier, d'un homme solide à ses côtés. Un homme qui la voit dans toute sa splendeur, qui apprécie qui elle EST ! En dévoilant votre fragilité, un profond sentiment d'intimité peut naître… C'est d'une telle puissance que ça revitalisera la dynamique de votre relation.

Un homme sachant qu'il est important, qu'il est votre protecteur lorsque c'est nécessaire, en fera toujours plus pour vous rendre heureuse. Si votre partenaire respecte votre force extérieure, et protège votre vulnérabilité intérieure en la reconnaissant, vous accéderez à un niveau de connexion plus intime et plus riche.

Vous saurez que, parce qu'il aime votre vulnérabilité, il vous aime sous toutes vos coutures... Cette sécurité vous libérera. Elle vous permettra d'accéder à la déesse en vous, de vous abandonner au plaisir d'un homme viril qui vous prend !

Pour ce faire, INVITEZ-LE À ENTRER...

Messieurs, soyez forts, et rassurez-les

Vous vous demandez pourquoi votre couple ne prend pas son envol ? Plusieurs explications sont probables, mais parmi les hypothèses possibles, une des pistes les plus sous-estimées et négligées est que votre chérie ne se sent pas en sécurité ; cette notion est même souvent ignorée par la femme. Elle doit ressentir qu'elle peut être elle-même avec vous.

Messieurs, il est impératif que vous reconnectiez consciemment à votre rôle d'homme, celui de protecteur.

Plus la femme est incertaine, plus elle se sent anxieuse et vit dans l'insécurité, plus elle attaquera, blâmera et critiquera son homme. À la limite, elle sera déplaisante et nerveuse.

Prenez l'exemple du couple en voiture où monsieur conduit de manière cavalière et imprudente (selon sa partenaire). Madame est tendue, se sent inquiète, et passe des commentaires pour rétablir son niveau de sécurité. Monsieur percevra probablement ses commentaires comme des critiques. En réalité, elle ne fait qu'exprimer son anxiété, à sa façon.

Attention, son intention n'est pas de vous blesser ou de vous agresser, les apparences sont parfois trompeuses. En fait, elle tente maladroitement d'exprimer sa peur pour être rassurée. Souvent, elle sera inconsciente de la vraie raison derrière sa colère ou sa frustration : elle a peur et ne se sent pas en SÉCURITÉ.

Quand un homme réussit à rester fort, à se tenir droit et solide avec assurance, non seulement la femme se sent-elle protégée et en sécurité, mais son attitude envers lui change : elle s'ouvre, devient radiante, patiente et chaleureuse ! Dès que vous réussirez à faire en sorte qu'elle se sente en sécurité, l'opinion qu'elle se fait de vous changera rapidement.

Vous gagnerez son respect, puis son admiration et ensuite son SEXE !

Vous voyez ? Les hommes et les femmes sont bien différents sur ce point. De son côté, l'homme réussit à trouver la paix et la sécurité par des facteurs externes tels que des possessions matérielles et des accomplissements.

La femme, elle, accède à cet état d'être en passant par l'intérieur, par ses sens et ses émotions. **L'homme doit faire du bien pour se sentir bien, la femme doit se sentir bien pour faire du bien**. Une règle d'or s'impose ici pour accomplir votre mission :

ÉCOUTEZ-LA ! Quand votre partenaire a le courage de s'ouvrir, il est primordial d'accueillir ce qu'elle vous partage. Trop d'hommes aujourd'hui utilisent en couple le «PRÉSENTÉISME». Ils sont présents de corps... mais absents d'esprit !

Prenez des notes mentales et appliquez-vous à être un bon étudiant de votre femme, ce sera le début de son adoration pour vous!

Mesdames, soit dit en passant, si votre homme tente d'améliorer sa façon de faire et expérimente certaines choses, peut-être maladroitement, afin de mieux communiquer avec vous. De grâce, ne le critiquez pas! Témoignez-lui plutôt votre gratitude, accordez-lui des points pour ses efforts.

Nous avons parfois cette fâcheuse habitude de ruiner une bonne intention dès son apparition, car elle se présente parfois gauchement. Si vous voulez que votre homme continue de s'améliorer, démontrez-lui votre appréciation et votre reconnaissance. Il le fait pour VOUS!

On ne saurait mettre suffisamment d'insistance sur ce point: Messieurs, quand votre femme s'ouvre et se confie... ÉCOUTEZ-LA!

Si vous réussissez, vous faciliterez exponentiellement la vie de votre partenaire et, en retour, elle fera tout ce qu'elle peut pour faciliter la vôtre et vous rendre heureux! Ce truc si simple vous évitera une multitude de problèmes, et vous garantira une vie sexuelle PLUS active. Rappelez-vous l'équation:

TÊTE ➤➤ CŒUR ➤➤ SEXE!

La formule magique avec sa femme

Voici une autre information en or! Vous rêvez d'une vie sexuelle riche, variée et épanouie? Alors, apprenez à mettre à profit l'équation magique de la femme:

SÉCURITÉ + ROMANCE = SEXE

Les femmes ont un besoin fondamental de sécurité, c'est une condition préalable à la connexion. Plus elle percevra cette sécurité, plus elle ressentira la connexion entre vous deux et plus elle s'ouvrira naturellement et facilement...

Et les femmes CARBURENT à la connexion !

Donc, une fois ce besoin comblé, une fois la sécurité assurée, il faut alors l'utiliser pour faire passer le couple à la prochaine étape de son évolution ! Comment faire ? En ramenant la romance dans votre échange !

Ça peut sembler cliché, mais la majorité des femmes apprécient beaucoup la sensualité, les touchers délicats et tendres, les moments magiques, les chandelles, les attentions, la musique !

Pour une femme, ROMANCE = SÉCURITÉ

Oui mais... je préfère les « bad boys »

Ils en ont fait couler de l'encre (et des larmes) ces *bad boys* ! Certaines femmes sont fascinées par eux, beaucoup d'hommes les envient et voudraient en être un, et ça se comprend ! Pour de mystérieuses raisons, ils semblent toujours avoir une longueur d'avance sur les autres...

Bien que ce soit difficile de donner une définition unique au terme, disons simplement qu'il n'existe pas seulement un tempérament *bad boy*, mais bien plusieurs catégories de *bad boys*. Et les femmes qui choisissent ce chemin choisissent le mauvais garçon qui leur convient !

Mais pourquoi les femmes sont-elles, pour la plupart, très attirées par ces mauvais garçons ? Pourtant, ils sont moins fiables, moins sensibles, viennent souvent avec leurs lots de problèmes, et ils risquent de vous larguer au moindre signe de désir d'engagement de votre part. Pourquoi un homme offrant aussi peu de stabilité aux femmes peut-il avoir autant de succès avec elles ?

Parce qu'il offre autre chose... à un autre niveau !

Plus précisément, ce qui devient irrésistiblement attirant pour une femme, c'est que le *bad boy* est... EXCITANT !!!

Qui n'aime pas VIVRE INTENSÉMENT, par moments ?

C'est la vérité, n'est-ce pas ? Beaucoup de femmes finissent par s'ennuyer avec un homme qui leur apporte seulement la sécurité... Malheureusement, la sécurité est parfois synonyme de routine... et la routine, d'ennui... et l'ennui, de tricherie !

En contrepartie, si vous avez déjà vécu une relation avec un méchant garçon, vous savez très bien que le risque de frapper le mur est quasi inévitable. Que ce n'est qu'une question de temps ! Les histoires d'amour qui se terminent bien avec un *bad boy*, c'est comme les trèfles à quatre feuilles : plutôt rares !!!

Alors, quelle est la solution ? Être ou ne pas être avec un *bad boy* ? Là est la question !

D'abord, il est essentiel ici de comprendre que, plus que tout, ce qui attire une femme vers un *bad boy*, c'est son instinct de « femme des cavernes ». Cette partie sera toujours présente en vous. La question n'est pas si elle est présente, mais plutôt si vous la laissez gérer votre vie...

En fréquentant un mauvais garçon excitant, madame s'assure que son quotidien ne sera jamais

ENNUYEUX... Elle se garantit une dose quotidienne d'adrénaline et d'imprévisible, une vie «on the edge»! Toutefois, en fréquentant un *bad boy*, vous devenez vulnérable à une dépendance d'ocytocine. Ce qui vous garde ensemble n'est pas l'amour... mais bien les HOR-MONES!

Les problèmes apparaissent souvent juste après la période initiale de séduction. Plus typiquement, vient un moment où – guidée par son besoin fondamental de sécurité – la femme exprimera son besoin de stabilité... qui ne sera pas reconnu par son mauvais garçon. Non parce qu'il est méchant ou sans cœur, mais bien parce qu'il ne choisit pas cette route.

Vous n'êtes pas celle qu'il choisit PLEINEMENT!

Rappelez-vous que, comme tout être humain, les mauvais garçons cherchent à aimer et être aimés... comme tout le monde! Ils ont donc développé avec les années des stratégies de séduction pour combler leurs besoins...

L'excitation et l'imprévu, c'est grisant, mais en sur-dose, c'est ÉPUISANT! Progressivement, parfois sans même s'en rendre compte, madame surcharge son système nerveux et sent que «quelque chose ne va pas en elle». Vient alors le moment où elle doit faire un choix...

- Continuer à vivre «on the edge» et en payer le prix!
- Ou créer une relation basée sur les qualités du cœur.

Vous voulez bâtir une relation qui grandit et s'épanouit dans l'amour, la conscience ET l'excitation, voici notre proposition :

Le secret est de choisir initialement votre homme en vous basant sur des critères DIFFÉRENTS.

L'homme des cavernes a sa place, OUI, mais pas toute la place. La bonne nouvelle est qu'un homme de cœur pourra exprimer le mauvais garçon en lui, mais au bon endroit : LA CHAMBRE À COUCHER! Vous comprenez? Choisissez d'abord un homme pour vivre à vos côtés, et laissez son *bad boy* s'exprimer dans votre lit.

Messieurs, pour être le plus gentleman des mauvais garçons, soyez plus mystérieux, ne vous dévoilez pas entièrement dès les premiers moments. Devenez un *challenge*, un défi qu'elle doit relever à tout prix. Voilà comment la faire craquer et la garder. Pour vous aider, apprenez à vous servir de certaines stratégies qui favoriseront la connexion…

Lorsque vous faites un effort et utilisez le monde des sens pour allumer votre chérie, vous contribuez à modifier sa chimie corporelle! Vous la prédisposez à l'amour… Vous le savez, n'est-ce pas?

Les meilleurs générateurs d'ambiance

Bien que ça semble étonnant, beaucoup d'hommes (et de femmes) ignorent encore comment créer une ambiance propice à l'amour. Heureusement, il y a toujours place à l'amélioration quand on décide de s'engager dans la réussite de son couple. Voici donc les deux meilleures solutions pour remédier à la situation…

1. L'intensité lumineuse. Il existe un outil clé dans le monde de l'amour qui génère automatiquement une ambiance. Cet outil, s'il est utilisé adéquatement, pourra créer des résultats PHÉNOMÉNAUX dans votre couple. On l'appelle… CHANDELLE et de plus en plus BOUGIE!

Bon, on vous taquine un peu avec cette prémisse. Mais gardez simplement en tête que l'intensité lumineuse influe de façon significative sur votre intensité amoureuse pendant les moments « où ça compte »!

Apprenez à tirer parti de cette ressource, vous serez surpris de son efficacité à vous rapprocher. Une possibilité intéressante est également d'employer un gradateur de lumière pour réduire le flux lumineux. Pour l'amour du ciel, comprenez simplement qu'il n'est pas nécessaire d'être aveuglé par le luminaire lors d'un souper romantique!

Le mot clé : TAMISEZ!!!

2. La musique. À notre connaissance, peu d'outils sont plus efficaces pour modifier un état d'être que la musique. À ce sujet, nous vous recommandons d'ailleurs l'excellent livre *EMPOWER* d'Isabelle Fontaine, qui explique de façon détaillée comment utiliser la musique comme stratégie pour connecter avec nos ressources intérieures et créer de la magie dans notre vie.

Avoir recours à une musique appropriée lors d'une soirée est une voie directe vers la sensualité…

Oui, mais mon homme n'est pas romantique...

Mesdames, vous pensez que votre homme n'aime pas le romantisme… vous faites fausse route…

Les hommes aiment le romantisme, mais PAS sur commande!

Malheureusement, ce n'est pas parce que le 14 février arrive que vous vous devez de célébrer la Saint-Valentin. Les élans romantiques de votre homme ne sont pas dictés par une machine de marketing, vous comprenez? Il le fera, mais en s'y sentant obligé... non par passion!

Contrairement à ce que la société nous inculque, ces moments sont des occasions, certes, mais pas des obligations! Il ne devrait jamais y avoir de pression à exercer pour célébrer votre amour au cœur d'un couple qui utilise la méthode SEXSHIP, car la relation est perpétuellement célébrée.

Ça existe, c'est possible que ce soit la Saint-Valentin plus d'une fois par année, pas seulement l'espace d'une journée.

Les couples véritablement connectés ont appris avec le temps comment répondre aux besoins importants de l'autre et agissent en conséquence, sans être manipulés par ce qu'ils «devraient» faire. Par exemple, une cliente de Chantal lui expliquait qu'en 30 ans de mariage, son époux ne lui avait jamais acheté de fleurs! Par contre, pendant ces mêmes 30 ans, elle n'a pas eu à sortir une seule fois les poubelles, une tâche qu'elle déteste au plus haut point!

Voyez-vous, les hommes qui n'expriment plus leurs côtés romantiques se sont souvent fait rabrouer et blesser. Et pas nécessairement par vous! Les dommages peuvent avoir été causés par une ancienne partenaire ou même par leur mère. Il ne faut donc pas s'étonner qu'ils ne sachent tout simplement pas ce qui vous ferait plaisir parce qu'aucun modèle de romantisme ne leur a été transmis par le passé.

D'autre part, comment voulez-vous qu'une personne continue de sortir de sa zone de confort, se réinvente et tente de créer des moments magiques et spéciaux avec sa partenaire, si ses efforts ne sont pas reconnus ni appréciés?

Ces pauvres hommes débinés se disent alors que ça ne vaut tout simplement pas le coup de sortir de l'ordinaire. Alors, ils continuent d'entretenir une relation « ordinaire » !

Un homme qui se sent véritablement apprécié en fera toujours plus pour sa femme !

À l'opposé, les hommes laissent les femmes qu'ils ne peuvent rendre heureuses. C'est inévitable !

CHAPITRE 8

Comment circule l'énergie sexuelle de l'homme...

« Une femme veut beaucoup de sexe avec l'homme qu'elle aime. Un homme veut beaucoup de sexe... »

— ALLAN PEASE

Dans ce chapitre, c'est directement à vous que nous nous adressons, mesdames ! Vous désirez sincèrement comprendre les hommes et mieux CONNECTER avec eux ? Alors, poursuivez et lisez ceci...

L'équation sexuelle chez l'homme

L'énergie sexuelle de l'homme circule à l'opposé de celle de la femme : du SEXE vers la TÊTE !

Pour que l'homme jette son dévolu sur elle et qu'elle ait alors toute l'attention de son partenaire pour elle, la femme doit comprendre que l'énergie de l'homme circule à l'opposé de la sienne... du bas vers le haut ! Mesdames, vous trouvez que votre amoureux ne vous écoute pas de manière suffisamment attentionnée ? Nous vous le répétons :

FAITES-LUI L'AMOUR !!!

Il sera plus réceptif, non seulement pour vous entendre, mais également pour vous COMPRENDRE !

Oui, c'est vrai, certains mâles ont plutôt tendance à opter pour le sommeil juste après ! Et c'est normal, les hommes libèrent une importante charge énergétique par l'éjaculation. C'est l'énergie du YANG en concentré, une semence de vie !

Mais reste que, pour connecter profondément et rapidement avec un homme, la manière la plus efficace d'y arriver est de commencer par le bas de son corps ! Pour marquer une parenthèse importante, en évoluant dans le modèle SEXSHIP, c'est la femme qui tombera endormie ! Dans cet espace, elle se sentira nourrie au plus profond de son être, l'homme aura réussi à assouvir TOUS ses besoins…

L'erreur «facile»

Il est important ici de mettre en perspective que l'équation TÊTE ➤➤ CŒUR ➤➤ SEXE de l'homme n'est valide que dans la perspective d'une relation engagée où les deux partenaires souhaitent bâtir une relation solide.

Tellement de femmes choisissent de se donner après une ou deux rencontres en «espérant» que c'est ce qui leur permettra d'accrocher leur homme. Là réside le danger d'être perçue comme une femme «facile».

Bien entendu, ça peut fonctionner, il y a toujours des exceptions à chaque règle. Sachez toutefois ceci : ce n'est pas de cette manière que votre homme tombera amoureux, **il tombera amoureux parce que vous ferez vibrer quelque chose de profond en lui.**

Un homme ne tombe pas amoureux du sexe, il n'en devient que DÉPENDANT. Dépendance ne veut pas dire amour !

Il existe deux formes d'énergie prédominantes chez l'homme : l'énergie moins raffinée et plus brute de « l'homme des cavernes », et l'énergie plus subtile et en conscience de l'homme de cœur.

Ces deux énergies sont à la fois présentes et alternantes. L'homme a toujours le choix de faire plus de place à l'une ou à l'autre. C'est une décision personnelle appuyée par la conscience.

La femme engagée dans une relation où l'énergie de l'homme des cavernes est prédominante, ressentira qu'il n'est là que pour prendre. Son partenaire fait tout ce qui est en son pouvoir pour obtenir ce qu'il désire, car sa réflexion réside davantage dans son membre inférieur.

Du côté opposé, un homme conscient qui agit dans l'énergie du cœur est inscrit naturellement dans un mode « donner ». Le simple fait de contribuer et de s'occuper de son amoureuse le comblera de bonheur et fera en sorte qu'il se sente encore plus « HOMME ».

Certaines clientes mentionnent à Chantal qu'elles ont TOUT donné pour « lui », qu'elles ont TOUT fait. Et qu'il est quand même parti ! Et c'est justement ça le problème, l'enjeu et le point névralgique :

Monsieur ne cherche pas une mère « contrôlante » qui fait tout. NON ! Il désire une femme qui lui accorde son attention, qui prend soin de lui et d'elle en premier !

Voici une grande vérité souvent incomprise :

Un homme ne peut tomber amoureux d'une femme qu'il n'a pas MÉRITÉE.

Il doit d'abord avoir l'impression que, grâce à ses actions et ses attentions, il mérite l'amour de sa prétendante.

Généralement, l'homme sera moins charmé par une conquête facile, et aura beaucoup plus de respect et d'attirance pour une partenaire qu'il aura désirée plus longtemps. Il n'y a qu'un hic : la plupart des hommes l'IGNORENT !

Si vous offrez à un homme l'occasion de se glisser sous la couette de votre lit, il y a de fortes chances qu'il ne puisse résister et tente de coucher avec vous... rapidement ! Et c'est normal, c'est dans sa nature ! Ainsi, à moins que ce soit précisément ce que vous souhaitiez, votre défi est de le garder intéressé sans toutefois vous offrir à lui, du moins pas tout de suite !

Vous avez peur de le perdre en ne lui donnant pas ce qu'il désire ? Faites-nous confiance ! S'il est véritablement intéressé, l'homme est beaucoup plus patient que vous ne l'imaginez.

Et s'il lève les voiles, c'est qu'il ne l'était pas réellement de toute façon. Vous vous êtes épargnée bien des moments à angoisser inutilement au sujet d'un partenaire potentiel qui n'en valait tout simplement pas la peine !

Règle générale, si un homme vous intéresse vraiment et que ça semble réciproque, patientez avant de lui offrir ce qu'il y a de plus sacré... VOUS !

Nous vivons dans un monde où l'instantané est à la mode. Les progrès technologiques facilitent et accélèrent constamment notre mode de vie (à ce sujet, nous vous recommandons la lecture du premier best-seller de David, *Ralentir pour Réussir*).

Bien entendu, notre manière d'entrer en relation n'y échappe pas! Aujourd'hui ça va vite, et dès que ça ne fonctionne plus, on jette et on consomme autre chose... ou une autre personne! C'est la faute de l'autre.

Comme le disait si bien Montaigne : « *Il est plus aisé d'accuser un sexe que d'excuser l'autre* ».

De notre point de vue, pour réussir sa vie amoureuse, l'essentiel est d'apprendre à développer une capacité peu à la mode... celle de PRENDRE SON TEMPS !

Trop de gens consomment les partenaires comme ils consomment une pizza... et se retrouvent affligés d'un affreux « mal de cœur » en pleine nuit.

On a tellement envie de compagnie, puis on se retrouve seul au lit. C'est la dure réalité de l'instantané ! Cessez de tout brusquer et apprenez à prendre votre temps...

Pour revenir à l'homme en relation...

Quand même, en ce qui a trait à une relation amoureuse et engagée qui s'épanouit dans la sexualité, nous vous le répétons :

Pour accéder au cœur de l'homme, il faut d'abord passer par son sexe bien plus que par son estomac !

En stimulant les organes sexuels de votre partenaire, l'énergie monte directement du pénis vers le cœur, et du cœur vers la tête ! C'est pour cette raison que beaucoup d'hommes sont plus inspirés et créatifs après l'acte d'amour. Leur intuition est plus claire, ils réussissent à trouver des solutions géniales aux défis de leurs vies ! L'homme est à ce moment grisé par l'énergie YIN transmise par sa partenaire...

Les plus grands créateurs de ce monde ont du Sexe supérieur ! Ils bénéficient d'un CHI, d'une combinaison YIN et YANG, extrêmement stable et puissante, décuplée par le partage avec leur partenaire.

Un grand créateur est bien-aimé sexuellement...

En résumé, un des moments où votre homme est le plus réceptif et ouvert, c'est directement après l'acte intime, après l'orgasme. Lisez bien ce qui suit :

L'énergie sexuelle régit l'énergie du rein, qui NOURRIT l'écoute !

Donna Eden, une spécialiste et sommité en médecine énergétique, étaye aussi ce concept. Concept qu'elle aborde d'ailleurs dans son livre coécrit avec son mari David Feinstein, *Médecine énergétique au service de la femme : comment aligner les énergies de votre corps pour accroître votre santé et votre vitalité.*

Elle affirme que : «*En médecine énergétique, les méridiens* (les méridiens sont des circuits qui transportent l'influx électrique et énergétique aux nombreux muscles et organes du corps) *les plus sollicités pour une sexualité saine, sont les reins, la rate et le foie. Dans plusieurs cultures, le méridien du rein est considéré comme l'entrepôt de l'énergie sexuelle. C'est une grande force qui permet à notre énergie sexuelle de circuler facilement.*»

Incroyable, non ? La médecine chinoise soutient également la notion précisant que le méridien du rein est stimulé pendant l'acte sexuel. Étant stimulé, sa capacité à transporter de l'énergie vers le rein est DÉCUPLÉE, ce qui nourrit l'organe et STIMULE L'ÉCOUTE !

L'équation pour comprendre la circulation énergétique sexuelle chez l'homme est :

SEXE ➤➤ CŒUR ➤➤ TÊTE

Mesdames, vous avez souvent l'impression que votre homme ne vous écoute pas vraiment ? Essayez de lui parler APRÈS L'AMOUR... on s'en reparlera !

Quand le corps est jouissif, les problèmes se transforment en défis, les défis en opportunités. De grands projets furent conçus après l'acte d'amour ! La partie moins rose de la vie évolue vers une vision plus harmonieuse. Quand le corps est joyeux, la vie est joyeuse ! Un homme bien-aimé sexuellement devient instantanément réceptif à vous...

Les hommes ont une plus grande reconnaissance instinctive des bienfaits du sexe. Cette vérité est malheureusement bien mal comprise des femmes.

À un niveau subtil, inconscient, les hommes reconnaissent les grands bienfaits que le sexe a sur eux et sur leur femme !

Un homme dans la vie de Chantal lui partageait, il y a quelques années, que le sexe était, selon lui, LA manière ultime de se guérir de tout. Depuis que sa vie sexuelle s'était améliorée, il n'avait plus de maux de dos ! Il était conscient de ce pouvoir et par surcroît en bénéficiait.

D'un autre côté, quand on laisse nos pulsions sexuelles nous contrôler et nous guider, le pouvoir du sexe est dilué.

Le sexe nous contrôle et on perd notre pouvoir. Ce manque de conscience provoque des malaises et maladresses inutiles. C'est pour cette raison que plusieurs hommes ont peur de ce pouvoir...

Par malheur, ils l'interprètent comme si la femme possède un avantage invincible sur eux, un pouvoir et un contrôle, puisqu'elle détient LA clé. Elle seule est en mesure de lui accorder ce qu'il désire tellement, ce qui accroît sans conteste son équilibre et son bien-être…

Le sexe est d'une telle force : ou bien on le contrôle ou IL nous contrôle.

Un secret bien gardé

Mesdames, voici un secret que la plupart des hommes ne vous avoueront jamais et qui est pourtant commun à la grande majorité d'entre eux :

Les hommes sont très VULNÉRABLES au rejet.

Assurément, ils se gardent bien de révéler ce secret, mais quand leurs dulcinées les rejettent, les hommes peuvent devenir très vulnérables…

Plus un homme est engagé et amoureux de sa femme, plus le rejet lui fera MAL. Un homme qui s'est fait rejeter à répétition cessera peu à peu d'entretenir le lien de connexion avec sa partenaire. Un indice important de ce triste processus est, que le cas échéant, il perdra son désir pour vous. Il cessera de vous caresser et de vous embrasser, de prendre soin de vous. Il sera moins présent, voire distant, jusqu'à ce que le couple éclate !

Comme partenaire, vous pouvez faire beaucoup pour éviter ce carambolage amoureux. Prenez conscience que vous avez ce pouvoir, la possibilité et la force de blesser votre homme.

Évitez simplement de le rejeter (à l'exception des cas d'abus) ! Choisissez plutôt de prendre ses besoins au sérieux, et restez engagée jusqu'à ce que vous trouviez ce qui fonctionne pour les deux.

En raison de leur inconscience de la nature de l'homme, certaines femmes utilisent le sarcasme et l'humiliation pour faire payer à l'homme ses fautes du passé au présent! Ces femmes profitent de la vulnérabilité de leur partenaire pour le rabaisser; ce qui constitue la meilleure façon de créer une distance entre eux.

Simone de Beauvoir l'exprimait clairement: «*Personne n'est plus arrogant envers les femmes, plus agressif ou méprisant, qu'un homme inquiet pour sa virilité.*»

Si vous vous reconnaissez à travers ces propos, vous avez aujourd'hui la chance de repartir du bon pied. Prenez la décision consciente de vivre en paix avec les hommes, et surtout avec le vôtre.

Il faut beaucoup plus d'énergie pour changer quelqu'un que d'essayer de le COMPRENDRE. Optez pour un choix écologique, observez et essayez de comprendre votre partenaire…

Maintenant, voici un paradoxe intéressant:

Les hommes modernes ont des besoins bien plus variés que ce qu'ils laissent présager! Oui, ils ont besoin de protéger et de contribuer, mais aussi de confiance et d'intimité. Vous avez bien lu, les hommes ont besoin d'intimité, de verbaliser leurs peurs à leur partenaire…

Voici où réside le défi: c'est plus difficile pour un homme de se confier! Pourquoi? Parce que, soutenu par une perception bidon, il s'imagine que de se confier à sa chérie le met en position de mâle VULNÉRABLE. En étant vulnérable, sa virilité en est affectée, et l'estime que vous lui portez en est directement menacée, selon lui.

Pour plusieurs hommes, s'ouvrir et se confier à sa partenaire équivaut à:

VULNÉRABILITÉ = FAIBLESSE

Ainsi, lorsqu'un homme s'ouvre et parvient à exposer ses peurs, il ne doit JAMAIS être trahi ou humilié.

L'humiliation crée des blessures chez l'homme d'une profondeur insoupçonnée. Pour cette raison, les femmes ont grand intérêt à épargner leur homme et à ne pas leur lancer d'attaques gratuites sur leur virilité. Il est bien difficile de marcher dans les plates-bandes d'un homme meurtri.

Castré par la femme à qui il avait accordé sa confiance, l'homme trahi se refermera naturellement sur lui-même. Connecter avec lui deviendra beaucoup plus ardu par la suite.

Au contraire, ce comportement qui consiste à avouer ses peurs devrait être reconnu comme un grand signe de force et de sagesse.

Prenons par exemple Dick Vermeil, le coach de football américain que l'on considère comme très macho. Dick a obtenu en 1999, pour une seconde fois, le titre d'entraîneur de l'année de la NFL alors qu'il coachait l'équipe des RAMS de St. Louis. Il fut reconnu à l'époque comme un homme sensible et fort. Après avoir remporté la victoire en finale du Super Bowl, il embrassait ses joueurs en pleurant devant le monde entier!

Reconnaissez la force de votre homme quand il expose sa vulnérabilité.

Dans sa lumière et son énergie de déesse, une femme reconnaîtra la valeur d'un homme qui s'ouvre à elle et encouragera ce comportement. Par surcroît, le couple se rapprochera et fusionnera à un niveau encore plus profond.

La solution

Voici concrètement ce que nous vous proposons, mesdames :

Engagez-vous et prenez une entente sacrée avec vous-même : celle de vivre, parler et agir en toute conscience. Évitez autant que possible de rejeter votre homme sans avoir de raisons IMPORTANTES.

Les attaques gratuites touchent inévitablement la dignité masculine. On ne peut pas toujours le remarquer, un homme... c'est censé être fort !

Peut-être ferez-vous un faux pas à l'occasion, c'est normal, vous êtes humaine ! Chose certaine, en pratiquant la pleine conscience, en étant éveillée à la portée de vos paroles et gestes concernant votre homme, vos points de vue et perceptions en seront grandement altérés.

Vous reconnaîtrez ainsi que votre vie de couple est un temple SACRÉ, un endroit où vous recueillir, grandir... et JOUIR ! C'est extraordinairement PUISSANT et LIBÉRATEUR !

L'essence de ce message est simple : signez un contrat dans votre cœur stipulant un engagement à 100 % envers vous-même à communiquer avec votre homme de la façon suivante :

Zéro jugement. Zéro blâme. Zéro critique.

Prenez exemple sur le couple de thérapeutes Kathlyn et Gay Hendricks qui sont mariés depuis plus de 30 ans. En utilisant cette simple stratégie de communication, ils ont réussi à éradiquer les conflits de leur vie de couple depuis les 15 dernières années.

Si vous ne vous engagez qu'à 99 %, le problème perdurera, mais à 100 %, le changement s'enclenchera! Vous en doutez? Eh bien comparez ce petit 1 % à un moustique qui tournoie au-dessus de vos têtes dans votre chambre à coucher.

MINUSCULE, dites-vous!

Vous essayez tous deux de dormir… ce n'est qu'un PETIT moustique. Mais il vous empêchera pourtant de fermer l'œil la nuit entière si vous ne parvenez pas à l'évincer de la chambre…

Prenez l'engagement à 100 % de faire de votre mieux tous les jours pour le reste de votre vie.

La formule magique avec son homme

C'est vrai, prendre un engagement aussi sérieux que de faire de son mieux avec son amoureux, pour le reste de sa vie, et tous les jours en plus… c'est tout un défi!

Et pour vous aider à garder le cap et faire bonne route, nous vous proposons un outil prodigieux, une équation magique pour faciliter la connexion avec votre homme…

La formule magique de l'homme :

ATTENTION + SEXE = DÉVOTION

Un homme a besoin de l'attention d'une femme, de SA femme. Nous avons tous la capacité d'être heureux et autonomes seuls. Absolument! Mais…

Un homme nourri de l'amour et de la reconnaïssance d'une femme, devient beaucoup plus RICHE et PUISSANT!

Sans elle, quand ce soutien capital manque, il va tout simplement moins bien ! Certes, vous pouvez vous opposer à ce point de vue. Mais messieurs, imaginez, l'espace d'un moment, que vous êtes aux commandes d'une magnifique moto.

Si vous en avez le choix. Préférez-vous être seul sur votre bolide… ou enlacé amoureusement par la femme de votre vie qui vous AIME et vous ADORE ? Honnêtement, à moins d'être un cascadeur en haute voltige motorisée, le choix est facile. Non ?

Après une séparation, plusieurs hommes réussissent assez rapidement (ça dépend aussi de leur âge) à trouver une nouvelle fréquentation. Ils ont besoin de sexe, car sa puissante énergie décuple leur force, leur CHI, et les touche directement au cœur.

Cette énergie monte ensuite jusqu'à la tête et nourrit le corps en entier. Le processus influence positivement les facultés mentales. Entre autres, l'homme apaisé améliorera ses perceptions et ses idées seront plus claires. Ça calmera grandement son mental.

Malheureusement, beaucoup d'hommes « modernes » confondent encore faire l'amour et baiser.

Ainsi, à la fin d'une partie de jambes en l'air avec une « inconnue ou presque », il est fréquent qu'ils ressentent un vide inexplicable…

C'est le vide du sexe SANS AMOUR.

Une relation soutenue par une faible connexion passagère !

Trop d'hommes perçoivent le sexe comme de la pizza : même quand ce n'est pas vraiment de qualité, c'est bon et ça bouche un coin ! Jusqu'au moment où ils s'ouvrent à une triste réalité :

Le coût énergétique d'une relation sexuelle sans amour avec une inconnue est bien plus élevé que ce qu'ils envisageaient au départ.

Plutôt qu'être ADORÉ par sa déesse, il choisit l'assouvissement d'une pulsion momentanée qui le mène à un terrible sentiment de vide. Peut-être pas initialement! Mais avec un peu d'âge, de conscience et de maturité, ça finit bien souvent par arriver...

Au fond, ce que l'homme recherche PLUS QUE TOUT (souvent inconsciemment), c'est d'être RECONNU, c'est l'attention de SA femme. Seulement, il tente parfois bien maladroitement de combler ce besoin!

Un homme bien-aimé sera un MEILLEUR homme. Quand un homme se sent aimé, la vie s'adoucit comme par magie, il devient spontanément plus patient, ouvert et réceptif.

Bien aimer votre homme sexuellement le rendra plus fort dans son corps, dans sa tête, et dans son cœur. Tout devient plus léger quand l'homme est aimé, particulièrement quand son rythme et son essence profonde sont reconnus, respectés, et valorisés. Vous devenez alors son port d'attache, l'endroit où il retourne encore et encore pour se ressourcer.

Un excellent exemple est le chanteur country Tim McGraw. Tim est aujourd'hui marié à la très populaire chanteuse Faith Hill. Cependant, la plupart des gens ignorent qu'avant sa rencontre avec la femme qu'il allait épouser, Tim s'avouait être un *bad boy* rustre et prétentieux.

Jusqu'au jour où il rencontra SA déesse... À partir de ce moment-là, ses choix personnels et professionnels prirent une tournure pour le meilleur. On remarque aujourd'hui la finesse et la classe avec laquelle il gère sa vie, sa carrière et sa relation.

Grâce à l'amour de sa femme, le cowboy rustre s'est raffiné et a évolué pour devenir la meilleure version de lui-même. Ensemble, ils fondèrent une famille de 3 magnifiques filles – son inspiration –, sans compter qu'à ce jour, il a vendu plus de 40 millions d'albums à travers le monde !!!

Un homme aimé et comblé par sa femme (émotion-nellement et sexuellement) se réalisera et accomplira de GRANDES CHOSES : ses buts et ses rêves !

Aux côtés de chaque grand homme se trouve une grande femme… qui lui fait bien l'amour !

En vérité, ce que l'homme désire vraiment plus que tout, c'est que sa femme se donne PLEINEMENT à lui. Le voilà le vrai cadeau, le Saint-Graal !

L'énergie sexuelle de l'homme circule du sexe vers la tête !

CHAPITRE 9

La nature de la femme : la « scanneuse » par excellence !

« L'homme doit faire du bien pour se sentir bien,
la femme doit se sentir bien pour faire du bien. »
— D^{RE} PAT ALLEN

Voici une différence fondamentale entre l'homme et la femme : de par sa nature, contrairement à l'homme qui ne porte son attention que sur UN objectif à la fois, la femme possède l'extraordinaire capacité de diffuser son attention.

Cette prédisposition lui permet de gérer et de faire plusieurs choses en même temps.

Son objectif ?

Collecter des informations qui serviront à amplifier ses connexions relationnelles.

Cette tâche précise mobilise une grande partie de son énergie. C'est sa PRIORITÉ. Elle a la capacité de scanner et d'analyser son entourage afin de récolter toutes sortes de petits renseignements subtils et pertinents afin de faciliter et établir les connexions.

La femme est à l'image d'une colle qui cimente le monde ensemble. L'harmonie entre toutes les parties de son environnement est essentielle pour elle et son bonheur. Quand on y pense, la femme est dotée de l'aptitude de créer des miracles à partir de très peu. Elle peut littéralement prendre un œuf, un ovule fécondé, et en faire un bébé!

Si on se reporte à nos ancêtres, les matriarches organisaient la tribu de façon à optimiser son fonctionnement. Oui, les hommes pourvoyaient, mais ce sont les femmes qui GÉRAIENT!

Entre autres, une grande attention était portée aux femmes enceintes pour qu'elles soient soutenues par le clan. On épargnait aux futures mamans les tâches quotidiennes, elles étaient nourries et aimées, jusqu'à la naissance de leur poupon.

Par la suite, les autres femmes du village faisaient tout en leur pouvoir pour éliminer les facteurs stressants du quotidien, facilitant ainsi le rétablissement des mamans.

Mesdames, c'est génétiquement encodé dans votre ADN, votre nature vous pousse à créer des liens avec les personnes qui vous entourent et à voir à leur bien-être! Inconsciemment, une croyance ancestrale vous confirme que votre écoute, votre compassion et votre ouverture favorisent le bonheur et l'union de votre « clan ».

Ça devient donc un réflexe de connaître ce qui rend les gens heureux autour de vous, de lire les non-dits, et de GUÉRIR les conflits.

La femme a la capacité de changer le monde… réellement! C'est ce qui explique pourquoi, quand elle rencontre un homme qui ne lui va pas du tout, elle croit instinctivement pouvoir le CHANGER!

La D^re Christiane Northrup, spécialiste américaine de la santé des femmes dit : « La femme, dans sa biologie, possède un code génétique de guérison pour améliorer tout ce qui est vivant. Sans faire de miracle (bien que ça s'en rapproche beaucoup), la femme peut même prendre un sperme DÉFECTUEUX, et le GUÉRIR avant même que l'œuf s'implante au placenta. »

Messieurs, ne cherchez pas plus loin !

Votre chérie a un besoin instinctif d'améliorer son entourage, elle ne peut pas s'en empêcher, c'est dans sa génétique. Dans ses cellules ! C'est pour cette raison que lorsqu'une fille déménage avec son amoureux, elle ne peut s'empêcher de redécorer leur appartement. Il y a même des femmes qui redécorent à chaque 2 ans ! Être inconscient de ce fait occasionne des problèmes pour tout le monde ! C'est ce qu'on appelle le syndrome de la « Belle et la Bête ».

Tout comme dans la fable de Disney, vous rencontrez un homme (une bête) avec des travers et des « Deal Breaker ». Mais vous imaginez être en mesure de le changer grâce à votre amour… Malheureusement, ça se termine très rarement comme dans l'histoire qui fascine les enfants, et la bête ne se transforme pas en prince !

L'intention positive de la femme

Sur un plan fondamental et profond, l'intention positive de la femme est simple : FAIRE PLAISIR !

Qu'elle en soit consciente ou non, la femme a un énorme besoin de faire plaisir.

Faire plaisir, par définition, nécessite de porter son attention vers l'extérieur. La femme peut donc se sentir bien et heureuse en sachant qu'elle fait plaisir à ceux qui sont importants pour elle. C'est une poursuite extérieure du bonheur.

Paradoxalement, cette intention positive rend parfois l'introspection et la connaissance d'elle-même plus difficiles…

Une femme peut facilement s'OUBLIER pour faire plaisir à ceux qu'elle aime. C'est même un réflexe pour plusieurs.

Et c'est exactement pour cette même raison qu'elle doit impérativement prendre du temps pour elle, des moments pour se connecter, se centrer, et prendre conscience de ses besoins. Une femme gagnera énormément à apprivoiser le silence.

Pour faciliter et promouvoir cette prise de conscience, un ingrédient reste essentiel : le soutien de son homme.

Messieurs, c'est votre devoir, votre objectif, d'encourager votre femme à penser à elle pour soutenir son épanouissement physique, émotionnel, mental et spirituel.

Vous, messieurs, êtes bien différents sur ce point. Subvenir à vos besoins est un acte naturel et spontané. C'est ancré dans votre génétique de chasseur et pourvoyeur ! Ainsi, apprenez à exploiter cette force pour encourager et inciter votre compagne à faire de même.

Les hommes ont, dans leur essence, besoin d'encourager et d'apprécier la femme de leur vie. Et le fait de l'inciter à penser à elle est une magnifique occasion de mettre vos talents à bon escient !

Beaucoup de femmes ignorent encore ce qui leur fait du bien et ce qui les excite vraiment. Elles doivent apprendre à le reconnaître en elle-même... sans ressentir de la culpabilité pour ces mêmes besoins!

N'oubliez pas, vous êtes responsable de votre propre bonheur... Pas votre homme, votre patron, vos enfants, votre voisin...

VOUS SEULE!

La nuance ici est que votre bonheur est exponentiellement CATALYSÉ quand il est PARTAGÉ avec les autres! Si vous souhaitez que votre partenaire CONTRIBUE à votre bonheur... Montrez-lui comment! Investissez-en des moments pour prendre soin de vous et connecter avec votre essence. Découvrez ce qui vous rend véritablement heureuse au quotidien.

Une fois cela clarifié, outillez votre homme et partagez avec flair (les bons mots au bon moment) vos découvertes avec lui. Selon sa nature, il fera tout ce qu'il peut pour vous aider à répéter ces gestes et tout le monde y gagnera. Le parfait équilibre YIN/YANG!

ENSEIGNEZ à votre homme comment vous rendre heureuse!

La dualité de la femme moderne

C'est un fait, nous avons tous des besoins instinctifs, des besoins émotionnels, physiques, intellectuels et spirituels. Chez la femme, ces besoins ont non seulement évolué avec les décennies, mais ils se sont également complexifiés...

Depuis quelques générations, le mouvement féministe a engendré des résultats extraordinaires pour les femmes modernes. Pouvez-vous imaginer à quel point, pendant des centaines d'années, la femme était contrôlée, abaissée, et réprimée?

Aujourd'hui, la plupart des femmes de ce monde (malheureusement pas encore toutes) peuvent affirmer leurs opinions, s'exprimer librement sans peur de jugement, et faire valoir quelle est leur place. Une conséquence importante de ce mouvement de société est également que la femme moderne ne dépend plus autant des hommes!

Elle est LIBRE et AUTONOME...

Malheureusement, sur un plan plus subtil, mais toutefois fondamental, cette libération fut accompagnée d'un coût, d'un prix à payer.

Selon le défunt naturopathe et iridologue D\u02b3 Bernard Jensen, une sommité spécialisée dans la guérison du cancer, le système nerveux de la femme est jusqu'à 56 fois plus sensible que celui de l'homme.

Génétiquement parlant, le corps de la femme paie le gros prix quand elle gère toutes les sphères de sa vie simultanément par elle-même. Pas parce qu'elle en est incapable, mais bien parce que son système nerveux n'est pas adapté pour supporter ce mode de fonctionnement.

Ainsi, les femmes modernes et émancipées qui tentent de performer seules sur tous les fronts (carrière, famille, finance, amour), finissent ultimement par se dénaturer et s'essouffler... Tout en essoufflant leur partenaire!

À force de tout faire, ce qui demande une importante dose d'énergie YANG, vous payez le fort prix : il vous reste peu (voire pas) **d'énergie pour ÊTRE (qui demande une énergie YIN).** De grâce, mesdames, écoutez la voix qui vous répète de ne plus tout faire seules. Vous avez besoin de votre énergie YIN pour vibrer dans votre féminité. Demandez de l'aide!!!

Dans une perspective SEXSHIP, la femme ressent davantage sa féminité aux côtés d'un homme qui prend soin d'elle, la respecte, la soutient, et la protège. La femme s'épanouit davantage dans un environnement où elle se sent épaulée par son partenaire. Cela renforce sa nature.

Il est essentiel ici de mettre en relief que nous ne prônons pas de valeurs régressives et dépassées, mais bien le retour à leurs essences respectives pour chacun des sexes.

Dit plus simplement, certaines femmes sont devenues de meilleurs hommes que bien des hommes...

La femme n'est pas physiologiquement adaptée pour le rôle de l'homme. ATTENTION : elle peut conquérir le monde à l'extérieur, mais quand viennent ces moments privés au cœur de sa demeure, c'est là où elle sera plus heureuse et plus fidèle à sa nature comme femme, ressourcée et rassasiée dans toute sa féminité.

À l'opposé, quand elle épuise ses ressources et ses forces, c'est équivalent de conduire une voiture manuelle, de rouler à plus de 120 km/h, tout en restant en troisième vitesse plutôt que de passer en cinquième... Le moteur révolutionne trop vite et elle «**s'use de l'intérieur**». Elle en paiera le prix par sa santé et son niveau d'énergie à la baisse, peut-être pas à court terme, mais à long terme, c'est assuré !

En restant trop souvent et trop longtemps dans une énergie de performance et de mouvement, il devient alors difficile d'être dans son essence féminine. Là réside le grand défi des femmes professionnelles et carriéristes de ce monde, apprendre à alterner du YANG au travail (si nécessaire), au YIN à la maison (quand elle rentre aux côtés de son homme). Pas parce que ça fait plaisir à monsieur, mais avant tout parce que c'est un besoin chez elle, ce qui la rendra plus heureuse.

TROUVEZ VOTRE ÉQUILIBRE.

Comprenez-vous le défi, la dualité, lorsque ces femmes désirent faire entrer un homme dans leur vie? En incarnant et utilisant l'énergie YANG, masculine, très régulièrement, elles finissent presque inévitablement par éprouver des problèmes à rencontrer le partenaire idéal pour elles.

Pourquoi?

Parce que YANG et YANG ne peuvent coexister côte à côte dans l'intimité du quotidien que pendant un BREF laps de temps. C'est une énergie de compétition. Au travail c'est nécessaire, mais pas à la maison!

C'est l'équivalent des deux pôles magnétiques sur un aimant. Positif contre positif se repoussent. Négatif contre négatif se repoussent également. Positif ET négatif = MATCH PARFAIT! En conséquence, les femmes très YANG ont la tâche plus ardue. Deux choix s'offrent à elles :

Soit elles s'ouvrent à un homme de nature TRÈS YIN, où elles seront nourries et soutenues, mais elles s'ennuieront à mourir.

Si la femme décide de choisir un homme ayant une essence plus féminine, la femme finira tôt ou tard par se lasser, considérant son homme comme pas assez mâle et viril.

Selon la D^re Pat Allen, pour une femme YANG, il est impossible de jouir avec un homme YIN. Après tout, ce sera toujours dans sa nature de désirer un partenaire avec une énergie virile et masculine, qui prend soin d'elle et la protège.

Le déséquilibre deviendra inévitablement insupportable un jour ou l'autre...

Soit elles trouvent un homme de nature plus YANG qu'elles, où elles auront à faire des compromis, et l'impression qu'elles sont constamment en mode négociation.

La femme choisissant un homme « HOMME », de nature excessivement YANG (à la limite, « des cavernes »), ce qui la comblera à court terme. Les problèmes apparaîtront après la période des papillons. Madame souhaitera alors que son partenaire COMMUNIQUE et ÉCHANGE avec elle. Ce qui sera plus difficile avec ce genre de tempérament.

Elle perdra alors progressivement son intérêt, après avoir tout tenté pour le changer et l'améliorer. Évidemment ! C'est le mythe du « bad boy »... démasqué « caveman boy » !

En amour, YANG et YANG ne vont pas ensemble, ils se neutralisent.

À ce point, permettez-nous de vous proposer une solution :

La femme Yang, conquérante à l'extérieur de son foyer, peut prendre un moment pour basculer d'une énergie YANG vers une énergie YIN plus conviviale, facilitant ainsi un échange amoureux une fois rentrée à la maison.

Nous sommes tous constitués d'une balance harmonieuse entre les énergies YIN et YANG, chacun d'entre nous. De par nos natures différentes, mais complémentaires, chaque sexe a une prédisposition, un penchant vers une forme d'énergie. Le mâle est plus YANG, tandis que la femelle est davantage YIN.

L'équilibre et l'homéostasie étant l'objectif ultime de chaque organisme vivant, nous fonctionnons tout simplement mieux en paire. Est-ce essentiel ? Non. Est-ce que ça améliore exponentiellement notre existence quand c'est en harmonie ? ABSOLUMENT !

Un besoin inconscient chez la femme

La femme a également un besoin très puissant, quasi viscéral, enfoui à l'intérieur d'elle-même. Ce désir est bien souvent inconscient :

Elle doit se sentir DÉSIRÉE par l'homme qu'elle aime !

Ce que l'histoire ne dit pas, c'est que ce désir ne peut pas seulement être assouvi au début ! Les hommes sont très doués pour répondre INITIALEMENT à ce besoin. Là où réside le défi, c'est qu'il doit être comblé RÉGULIÈRMENT et tout au long de la relation. Le plus souvent possible pour alimenter la connexion.

En matière d'importance quant à ce qui influence son bonheur dans le couple à long terme, le désir de son partenaire à son égard est primordial à l'épanouissement d'une femme.

Il est triste d'observer comment nombre de femmes sont concernées et déstabilisées, car elles ne ressentent plus le désir de leur homme pour elle. Le retrait de cette énergie influe directement sur leur système nerveux, leur émotion, et leur confiance en elle.

Certaines femmes diront qu'avec les années, la routine et les défis de la vie, le désir de leur homme s'est érodé et que c'est normal ! Non, ce n'est pas « normal ». C'est commun et courant. Point !

La femme a besoin d'être aimée, certes, mais l'essentiel lui manquera si elle ne se sent pas désirée par l'homme qu'elle aime. Combien de personnes, hommes et femmes, «sautent la clôture» pour ressentir de nouveau le désir? Beaucoup trop! Pourquoi le font-ils?

Parce qu'ils ont cessé d'entretenir le feu au sein de leurs PROPRES unions…

Le chevalier, la princesse et le château!

Comme nous le disions, au cœur de la méthode SEXSHIP réside un concept SIMPLE. Une solution qui, si appliquée avec engagement, contribuera grandement à catalyser la chimie initiale de votre couple. Cet outil est si puissant qu'il peut même être utilisé par les femmes excessivement YANG qui décident de vivre avec un homme plus YIN. Ça va comme suit…

Imaginez d'abord que votre maison, le lieu où vous habitez, représente votre CHÂTEAU. C'est votre siège social, l'endroit où, la majeure partie du temps, vous bâtissez votre relation sentimentale.

À l'extérieur se trouve votre ROYAUME : la vie, le boulot, les amis, les sorties… Où vous sortez chaque jour pour affronter la réalité, quoi!

Quand vous fonctionnez quotidiennement dans le royaume, vous pouvez utiliser l'énergie que vous souhaitez ou celle dont vous avez davantage BESOIN pour être EFFICACE. C'est parfait! Le moment crucial où tout peut changer, où un monde d'opportunités, d'amour et de connexion s'offre à vous est…

Quand vous RENTREZ au château!

La règle est simple : quand il rentre au château, après son temps de transition (nous y reviendrons au chapitre 10), l'homme a intérêt à reconnecter avec son essence masculine, l'énergie YANG en lui.

Naturellement, en se souvenant d'être un CHE-VALIER dans la relation.

De son côté, madame sera comblée et adorée par son homme si elle reconnecte avec sa féminité, l'énergie YIN, et se rappelle qu'elle est une princesse! Pas une princesse dans le sens de petite peste insupportable, mais plutôt féminine, douce et sensible. Comme vous avez dû le constater au fil de votre lecture, le terme que nous aimons bien utiliser est DÉESSE.

Dès que la femme fusionne avec son énergie YIN, avec sa féminité, elle permet à la déesse en elle d'émerger… Vous voyez? Quand elle est dans son énergie de FEMME, il est plus facile pour lui d'être dans son énergie D'HOMME.

Connectez avec la déesse en vous

Comme l'a déjà dit l'actrice américaine Sarah Jessica Parker, vedette de la très populaire série *Sex in the city* : «*Trying to be a man is a waste of a woman!* (Une femme qui essaie d'être un homme, c'est du gaspillage!)»

Mesdames, pour ressentir votre féminité et permettre à votre déesse d'émerger, il est important d'apprendre à décrocher de votre énergie masculine, et de reconnecter avec votre énergie féminine. Qui dit déesse dit YIN, douceur, sensibilité, ouverture et sensualité.

Avant d'entamer le dernier tiers de votre journée (habituellement passée à la maison), il est prouvé par la D^re Pat Allen que votre cerveau a besoin d'un délai approximatif de 20 à 60 minutes pour stimuler la sécrétion d'hormones spécifiques qui activent votre énergie YIN.

Le truc est simple : développez l'habitude de pratiquer des activités YIN pour maximiser cette transition.

Lire, méditer, prendre soin de vous, faire du lèche-vitrine, aller au yoga, sont des exemples parfaits. L'idée est de vaquer à une activité qui vous ressource et fait VIBRER votre FÉMINITÉ.

Vous ressentirez naturellement le changement s'opérer en vous. Vos échanges avec les autres (pas seulement votre chéri) en seront grandement facilités.

En fonctionnant ainsi, vous vous ressourcerez en énergie féminine. Mais surtout, vous vous ressourcerez en énergie... Point !

On vous entend déjà, les mamans débordées n'ayant pas le luxe du temps. Impossible ! Vous êtes déjà surchargées...

Ça dépend. Tout est relatif !

Quand vous êtes débordées, l'astuce est d'utiliser stratégiquement votre temps en maximisant son usage. Par exemple, une cliente de Chantal emprunte parfois une route plus longue pour revenir chez elle, car conduire en écoutant sa musique préférée la calme et favorise le processus expliqué ci-dessus.

Cette période devient officiellement SON temps.

Aimez-vous suffisamment pour vous accorder des moments de qualité, ne serait-ce que 5 minutes... peu importe à quel point votre emploi du temps peut sembler surchargé. Plus que tout, libérez-vous de la culpabilité quand vous vous reposez.

Dans ces moments de « rien faire », vous produisez des hormones telles que la sérotonine et l'ocytocine qui sont des piliers indispensables pour ressentir votre bien-être.

Même quand les femmes ne font rien, elles font quelque chose... à un autre niveau!

Il se produit une transition subtile quand la femme prend soin d'elle. D'une certaine façon, en laissant son essence féminine émaner, telle une déesse, elle rayonne de beauté! Pour y arriver, apprenez à recevoir, mesdames. Si l'on étudie l'anatomie d'une femme, son corps est adapté pour recevoir; son vagin étant une ouverture, l'utérus, un espace pour recevoir son bébé.

Mesdames, ouvrez-vous à RECEVOIR! Recevoir des compliments, des cadeaux, de l'aide, de la galanterie. Que vous soyez en couple ou célibataire. Plus vous apprendrez à concentrer votre attention à prendre soin de vous et à recevoir, plus vous amplifierez votre énergie YIN, plus vous maximiserez vos chances d'attirer l'homme idéal... ou de le garder dans votre vie.

En fin de compte, nous vous encourageons à garder en tête que, même si vous êtes TRÈS occupée, votre priorité devrait être de prendre soin de vous. Ne serait-ce qu'un court moment afin de renouveler votre énergie et connecter avec votre essence de déesse.

Pourquoi cette façon de fonctionner?

Parce que deux chevaliers dans le même château, ça se pile sur les pieds.

Voulez-vous créer de l'harmonie, de l'intimité et de l'érotisme dans votre couple? Mesdames, montrez à votre chevalier comment prendre soin de vous... recevez, et laissez la déesse s'émanciper!

Comme le dit si bien la chanteuse sensuelle Victoria Abril:

« Les bons amants, ce sont les femmes qui les construisent. Les hommes, il faut tout leur apprendre et surtout leur laisser croire le contraire. »

CHAPITRE 10

La nature de l'homme : le maître du «focus»

«Un homme qui pense à une femme, non comme au complément d'un sexe, mais au sexe comme au complément d'une femme, est mûr pour l'amour.»
— ANDRÉ MALRAUX

Contrairement à la femme, il est dans la nature de l'homme d'avoir spontanément tendance à porter son attention, son «focus», sur UN OBJECTIF à la fois. Bon, on vous entend rigoler, mesdames! C'est vrai! L'homme n'est pas particulièrement doué pour faire 10 choses en même temps comme vous. À chacun ses forces, d'accord!

Pour la plupart des hommes, ce qui compte, c'est le RÉSULTAT FINAL. Une fois sa mission accomplie, il passe à la suivante, et ainsi de suite. Un plus un égale deux!

Une chose à la fois!

Aujourd'hui, vous avez envie de lui, et vous avez décidé de l'émoustiller, de l'allumer en déambulant langoureusement devant lui pendant les dernières minutes de la troisième période de la finale de la coupe Stanley à la télé…

Faites une croix sur sa qualité de présence. Il est complètement ABSORBÉ par le match, sa tâche du moment! C'est im-pos-si-ble pour lui de vous accorder son attention… Pas tant à cause du match télévisé que par son niveau d'absorption à l'activité. Une chose reste certaine, dès la fin du jeu, il vous courra après… garanti!

L'énergie de l'homme est constamment dirigée sur la réalisation de l'objectif du moment afin d'obtenir un résultat satisfaisant. Et son estime sera proportionnelle au résultat qu'il atteindra… Dans son travail, comme en relation!

Le processus mental de Roméo

Pour vous aider à comprendre, voici un scénario expliquant parfaitement ce réflexe inné. Disons par exemple que la scène a lieu le premier soir où monsieur invite sa prétendante pour souper. L'homme porte son attention sur une chose à la fois, ses objectifs se présentent donc un à un:

- choisir le bon restaurant;

- se rendre au restaurant;

- trouver un stationnement;

- assurer une belle soirée à la femme qu'il veut conquérir…

S'il a un côté YANG particulièrement développé (sans nécessairement qu'il soit démesuré), il ajoutera probablement des objectifs secondaires pour maximiser ses chances de succès. Par exemple:

– penser à des idées de sujets de discussion ;

– découvrir à l'avance le genre de nourriture que madame aime manger pour assurer son bonheur, etc.

Si on décortique le tout par étapes, notre Roméo se rend d'abord responsable de réussir sa PREMIÈRE IMPRESSION, et assurer le succès de sa soirée de séduction. C'est pourquoi il planifie l'environnement immédiat de la rencontre : le restaurant.

« Rester en contrôle » est un besoin prédominant chez lui, et il fera tout en son possible pour vous démontrer qu'il a les choses en main (vous confirmant ainsi que vous êtes en sécurité) ! Plus vous serez confortable, à l'aise et décontractée (en sécurité, quoi !), plus il croira MARQUER DES POINTS avec vous…

Pour son second objectif, Roméo s'installe à la bonne table du bon restaurant qu'il a choisi. Il aura besoin d'un bref moment de transition pour s'installer et établir son espace…

Il replacera son verre d'eau, les ustensiles, sa chaise, et même la table s'il le juge nécessaire ! C'est bien paradoxal, car les apparences semblent prouver le contraire, mais à ce moment précis, il n'est pas encore COMPLÈTEMENT DISPONIBLE pour vous, chère Juliette.

Si vous cherchez son attention à cet instant (une connexion), et que vous utilisez votre stratégie habituelle (la discussion), vous ne l'aurez pas entièrement. Voyez-vous, votre homme n'est pas tout à fait à l'écoute.

Il vous ENTEND, mais ne vous ÉCOUTE pas encore…

Et un malentendu reposant sur une différence fondamentale naîtra d'une simple perception erronée.

Ressentant qu'il ne s'est pas connecté à vous, vous croirez qu'il n'est pas intéressé.

Erreur!

En fait, il s'installe dans son environnement pour se sentir en maîtrise de la situation. De votre côté, pour rétablir la connexion que vous imaginez inexistante, vous parlez plus…

Attendez d'abord qu'il se tourne vers vous, qu'il vous pose une question ou passe un commentaire, qu'il signale sa disponibilité et sa réceptivité. À ce moment-là, il sera prêt à porter toute son attention sur sa « priorité PRIORITAIRE » de la soirée : VOUS!

L'intention positive de l'homme

Nous vous le répétons, il est tout à fait normal qu'au moment où il poursuit ses objectifs, votre homme vous semble absorbé et offre une piètre écoute. S'il agit de cette façon, c'est d'abord et avant tout pour vous. Il veut s'assurer qu'il fait tout en son pouvoir pour que vous soyez bien. Il utilise toutes ses capacités pour prendre soin de VOUS.

Accordez-lui quelques points!

En amour, l'intention positive de l'homme est simple : PRENDRE SOIN DE SA FEMME!

Dès l'instant où il évaluera qu'il a réussi à vous satisfaire, il commencera à relaxer et à se détendre. Il sera alors enfin mûr pour la conversation à laquelle vous tenez tellement, car c'est de cette façon que vous établissez la connexion. Ce sera alors à VOTRE tour de relaxer!

L'importance du temps de transition

Vous comprenez maintenant que, de nature, les hommes sont disposés à accomplir une seule tâche à la fois.

Mais il y a plus encore…

Ils deviennent parfois si absorbés par les tâches à accomplir durant la journée, qu'ils ont ensuite besoin d'un moment de TRANSITION pour réorienter leur focus, leur centre d'intérêt sur autre chose… un nouvel objectif :

VOUS !

Mesdames, vous ne pouvez imaginer à quel point un temps de transition est important et nécessaire à l'homme. Ce besoin est également présent chez la femme, certes, mais permettez-nous de vous expliquer les bienfaits qu'il génère chez votre partenaire…

L'homme, étant maître du focus, compartimente assidûment les sphères de sa vie afin de mieux s'y consacrer une fois le temps venu. Afin d'atteindre ses objectifs plus efficacement, il les divise en catégories. Ainsi, il a besoin (souvent de façon inconsciente) de temps pour s'adapter et faire une transition entre ses différentes sphères.

Malheureusement, beaucoup d'hommes ignorent encore cette vérité fondamentale sur leur nature. C'est bien difficile d'exprimer quelque chose quand on en est inconscient ! Le besoin reste donc incompris et non respecté des deux parties, et cela cause beaucoup de souci à l'homme… et par le fait même à la femme !

Le moment crucial

Voici le moment par excellence, LE moment crucial où plusieurs conflits prennent forme, car le temps de transition n'est pas reconnu et accordé. Point important, c'est également le moment où votre connexion amoureuse a le potentiel d'être grandement amplifiée, à condition de prêter attention à ce qui suit…

Lorsqu'il quitte son travail (où il gagne sa vie) et qu'il entre à la maison (son château, où il prend soin de sa famille), il y a davantage de risques d'accrochages amoureux. C'est dans ces fameux moments de transition que tout se joue : quand les amoureux ne sont pas encore au même diapason…

Pensez-y, c'est fréquent. À peine l'homme a-t-il franchi le seuil d'entrée de la maison qu'il se fait sauter dessus (et ce n'est habituellement pas pour du sexe)! Sa partenaire le bombarde littéralement de demandes et de questions : « *T'es en retard, t'étais où, t'étais avec qui, qu'est-ce que tu faisais, as-tu pensé à acheter le lait?* »

Toutes ces questions sont légitimes. Mais deux choses s'immiscent à ce moment entre votre homme et vous : la qualité de votre accueil et votre sens du « timing » !

La plupart des femmes ont un énorme besoin de s'exprimer et d'être accueillies. Elles peuvent parfois accumuler pendant une journée entière, et dès l'arrivée de leur partenaire, elles éprouvent l'urgence de ventiler et déversent cette énergie pas toujours positive sur lui !

Votre partenaire se fera un plaisir de répondre à vos questions et de discuter avec vous, seulement pas immédiatement à son arrivée. Il a besoin de TEMPS pour décanter sa journée…

Malheureusement, dans plusieurs ménages, cette vérité est IGNORÉE.

L'homme rentre chez lui pour se faire accueillir par une intense période de questionnement alors qu'il a besoin d'un moment pour s'adapter et rediriger son attention du travail à la maison. Il se sent littéralement bombardé et agressé. Que fait-il alors ? Il se referme sur lui-même afin de créer un bouclier mental qui facilitera son temps de transition.

Dans sa tête, ça va généralement comme suit (parfois à un niveau bien inconscient) : «*On ne me donne pas ce dont j'ai essentiellement besoin pour fonctionner, alors je dois le prendre moi-même !*»

Et que se passe-t-il à ce moment-là ? La femme se sent incomprise, rejetée, et donc en manque de sécurité… Alors, elle montre les dents ! Ainsi débutent nombre de conflits qui auraient facilement pu être évités…

Pour augmenter de façon significative l'harmonie et la qualité de votre communication en couple, vous avez tout intérêt à accorder à votre homme son temps de transition. Il pourra alors recharger sa pile et se remplir à nouveau d'énergie. C'est d'ailleurs, selon un des plus grands spécialistes en la matière sur la planète, John Gray, pendant ce temps de transition que son niveau de testostérone remonte ! Il sera par la suite plus apte à s'impliquer physiquement et émotionnellement avec vous, et dans la maison.

Mesdames, vous vous demandez en quoi est utile ce processus ?

FACILE !

Une fois le niveau de testostérone de votre homme de nouveau à la hausse, il aura vraiment envie d'être avec vous, et il sera plus attentif et disponible... à TOUS les niveaux! Cette période varie d'une personne à l'autre, d'où l'importance de négocier et de trouver un terrain d'entente afin que les deux parties soient satisfaites.

Une note importante s'impose ici. La consigne sur le temps de transition s'applique également à vos fils au retour de l'école! Si vous croyez que, dès son retour à la maison, votre garçon doit faire ses devoirs, mais que ça fonctionne plus ou moins... Accordez-lui un petit temps de transition. Vous serez ÉTONNÉE des résultats.

Vos outils par excellence : l'intuition et l'attitude!

L'intuition

Pour décoder et comprendre votre homme, rien n'est plus puissant que votre intuition, mesdames. C'est votre meilleure alliée. La majorité des individus (hommes et femmes) qui ont du succès dans leur vie utilisent, de près ou de loin, leur intuition.

C'est un formidable outil.

Certaines personnes affirment qu'elles n'ont pas d'intuition ou encore qu'elles ignorent comment l'utiliser. Voici un truc à la fois extraordinairement efficace et puissant. Il est possible de résumer un ouvrage entier sur l'intuition par ce seul paragraphe :

La nature de l'intuition, c'est-à-dire l'aptitude à percevoir et ressentir les choses, se développe grâce à un trait de caractère fort simple : la capacité d'observation!

Et en plus, la capacité d'observer ce qui EST, à l'intérieur, ET à l'extérieur de nous. En restant bien connectée à soi-même ! L'intuition, c'est d'abord un travail INTÉRIEUR !

Mesdames, quand votre homme rentre, prenez un moment pour faire deux choses :

1. Connectez à l'amour que vous ressentez pour lui. Un truc : Rappelez-vous un geste qu'il a fait et qui vous a TOUCHÉE.
2. Observez-le attentivement. Investissez un moment pour calibrer son état d'être.

Plus de 70 % du langage est non verbal.

En prenant un moment pour le « scanner » (votre grande force), vous serez en mesure d'évaluer son besoin en temps de transition. Si vous éprouvez des difficultés à vous faire une idée claire, reportez-vous au second outil : votre attitude.

L'attitude

Vous le savez, n'est-ce pas, le succès d'une relation repose en grande partie sur votre attitude dans cette même relation ? C'est vrai, il doit y avoir un équilibre, et chaque partenaire doit être reconnu dans ses besoins. Mais pour ce moment bien précis, nous vous recommandons d'axer votre attention sur votre homme.

Ainsi, votre attitude reposera ici sur une manière de questionner, une façon d'aborder votre partenaire. Ouvrez la conversation comme ceci :

« Je remarque que ça se déroule beaucoup mieux entre nous quand tu as un peu de temps à toi au retour du travail. Est-ce que je vois juste ? (Marquez votre question par une pause) De combien de temps as-tu besoin pour toi en général ? »

Cette réflexion à elle seule évitera de sérieuses disputes qui ruinent l'amour au sein d'un couple. Rappelez-vous :

Un temps de transition déterminé par évaluation ou question, soutenu par une attitude douce et accueillante.

Vous voulez encore plus simple ?

ACCORDEZ-LUI ce temps de transition sans même en discuter, il vous adorera !

John Gray, célèbre auteur de la série *Les hommes viennent de Mars, les femmes viennent de Vénus*, recommande de négocier ce point à l'avance. Par exemple, si une princesse est consciente que son chevalier lui consacrera toute l'attention dont elle a besoin trente minutes après son arrivée au château, elle se fera un immense plaisir de lui accorder son temps de transition.

Déterminez ce qui fonctionne le mieux au sein de votre couple !

La priorité de l'homme est de vous aimer et de vous rendre PLUS heureuse…

Votre priorité est de lui en laisser l'opportunité et le temps en comprenant son rythme !

Les véritables besoins de l'homme

Mesdames, fiez-vous sur nous. Un homme, c'est SIMPLE !

Si vous l'appréciez, vous réussirez à combler ses besoins de base, ses véritables besoins. Il décrocherait la lune pour vous rendre plus heureuse. Un des seuls facteurs qui peut porter à confusion est que l'homme est beaucoup plus vulnérable qu'il ne le laisse soupçonner de l'extérieur !

Afin de vous simplifier la vie et de vous éclairer au maximum sur ce dont votre partenaire a vraiment besoin (mais qu'il ne verbalisera pas toujours), voici une liste quelque peu exhaustive...

1. Protéger

Si vous tenez à mieux comprendre et aimer votre homme, le concept de protection est un incontournable. L'instinct de protéger les siens est littéralement encodé dans sa génétique. S'il veut vivre en équilibre au quotidien, il est essentiel pour lui de combler ce besoin primal qui consiste à protéger sa femme, ses proches, et ses biens.

Si on la classe par ordre de priorité, la protection sera toujours en haut de sa liste, car une partie importante de son énergie est mobilisée à protéger.

Vous voulez témoigner de votre amour à votre homme ?

Une manière directe de le faire est de reconnaître et d'apprécier son intention de vous protéger.

Au quotidien, plus vous lui communiquez que vous vous sentez en sécurité et heureuse à ses côtés, plus il se connectera à sa force intérieure !

2. Contribuer

Votre homme a besoin que vous reconnaissiez sa contribution à votre bonheur et votre confort. C'est très important pour lui... Pensez-y un moment. Quel est l'un de vos plus importants besoins ?

La sécurité !

Que croyez-vous que l'homme a besoin que vous reconnaissiez en priorité chez lui ? Eh oui, sa capacité de vous protéger et de prendre soin de vous ! C'est directement relié à votre premier besoin, aussi faites d'une pierre deux coups. Comme la nature est magnifiquement orchestrée !

On pourrait comparer ce cycle à une trinité sacrée, le cycle SEXSHIP : l'homme a besoin de protéger, il répond au besoin de sécurité de sa femme, par surcroît elle reconnaît sa contribution. Ainsi, le cycle se perpétue en boucle et tout le monde est pleinement heureux !

Évidemment, sa contribution va (habituellement) bien au-delà de la protection. Ainsi, nous vous suggérons de remarquer les gestes que votre homme accomplit pour favoriser votre bonheur. Vous savez, ces petites attentions qui ensoleillent votre quotidien et vous font plaisir.

Que ce soit de sortir les poubelles, vous faire un petit massage de nuque, de jouer avec les enfants avec amour, de vous laisser une petite note coquette sur le frigo, de vous préparer un café au lait le matin, ou simplement de vous préparer un bon repas.

Percevez ces petits détails remplis de délicatesse et faites-lui savoir que vous les appréciez. C'est une manière assurée de l'encourager à continuer et à recommencer ! **Plus un homme se sentira apprécié, plus il en fera pour vous.**

Un facteur primordial qui garantira le bien-être de votre homme (et le vôtre), est de reconnaître sa contribution dans votre vie.

3. Sexe

L'écrivain français Frédéric Dard écrit : « *Le sexe masculin est ce qu'il y a de plus léger au monde, une simple pensée le soulève.* »

L'acteur américain Billy Crystal disait de son côté que : « *Les femmes ont besoin d'une raison pour faire l'amour, les hommes ont juste besoin d'un endroit !* »

Vous pouviez le voir venir celui-là, n'est-ce pas ! Ne passons donc pas par quatre chemins et soyons directs.

Vous aimez votre homme ?

Alors, faites-lui l'amour et laissez-le vous faire l'amour !

Les hommes ont, pour la très grande majorité, une pulsion sexuelle puissante qui les pousse à créer de grandes choses quand elle est bien canalisée… Et à faire bien des conneries quand elle est réprimée…

Un grave réflexe que plusieurs femmes ont pour punir leur homme d'une erreur commise est de le priver de sexe. C'est malheureusement une façon certaine, très rapide, et efficace de créer une distance et un FROID ENTRE VOUS.

Vous avez à votre disposition plusieurs possibilités et solutions pour négocier et attirer l'attention de votre chéri. Castrer sa sexualité ne devrait JAMAIS faire partie de ces options.

Pour que le tout soit simple, voici donc la recommandation de David en 3 points faciles :

1. Occupez-vous du pénis de votre homme.

2. Occupez-vous du pénis de votre homme.

3. Occupez-vous du pénis de votre homme.

Un homme frustré sexuellement trop longtemps, même s'il vous aime profondément, souffrira physiquement. Et finira presque inévitablement par « sauter la clôture ».

4. ATTENTION

Oui, c'est vrai. Votre homme veut du sexe ! Mais un désir qu'il verbalisera moins souvent, et qui lui est tout aussi important, est qu'il a également besoin d'attention à d'autres niveaux !

Il a un désir inassouvi de votre sensualité, sans même que ça soit relié à la sexualité. Oui, mesdames, les hommes aussi sont des êtres sensuels en développement !

Votre homme n'est pas différent de la majorité de ses semblables, être nourri par l'attention d'une femme amoureuse qui prend soin de lui est tout aussi important que l'aspect sexuel. C'est en partie son côté sensuel ! Même s'il ne vous le mentionne pas toujours, votre homme apprécie votre douceur et votre toucher, bien plus que vous ne pouvez l'imaginer !

Vous aimez que l'on s'occupe de vous et qu'on assure votre bonheur, n'est-ce pas ? Eh bien, c'est exactement la même chose pour monsieur. La seule différence réside dans le fait qu'il l'exprimera plus rarement, par souci de rester, en apparence, FORT et VIRIL pour vous !

Vous vous demandez comment offrir votre attention à votre partenaire ? Un éventail d'options s'offre à vous. De manière générale, un homme sentira qu'il a l'attention de sa femme par son regard. Nous vous encourageons à multiplier les moments magiques où vos yeux se croisent et où vous le regardez amoureusement.

Vous savez, ces moments bénis quand il peut ressentir seulement par vos yeux posés sur lui que c'est lui « votre homme » !

Complimenter publiquement son partenaire devant ses amis et ses collègues est également une manière ultra-efficace de marquer des points auprès de lui. Il vous a-do-re-ra pour ces gestes qui semblent somme toute si anodins.

Vous voulez aller encore plus loin ? Pour certains hommes, le simple fait de les laisser s'occuper de vous est un signe d'attention très puissant. S'ils le proposent, ACCEPTEZ LEUR AIDE…

Et ce, même si ce n'est pas toujours exécuté comme vous le voulez !

Tout compte fait, l'une des façons les plus efficaces d'assurer que votre homme reçoit votre attention, c'est de l'écouter attentivement quand il vous confie ses états d'âme, ET quand il vous partage ses besoins.

Plus que tout. Quand il s'exprime, CROYEZ-LE !

Si votre homme vous communique que quelque chose ne va pas… Prenez-le au sérieux ! S'il vous demande de fermer votre cellulaire au cours du week-end… Fermez-le ! S'il vous exprime une frustration, soyez TRÈS réceptive.

Un homme que l'on écoute sincèrement avec toute l'attention qu'il mérite, sans interruption, qui se sent respecté dans ses propos, vous portera un respect et une admiration SANS BORNES.

L'homme a besoin de votre attention bien plus que vous ne pouvez l'imaginer…

5. L'APPRÉCIATION

APPRÉCIER, C'EST ASSURER SON BONHEUR EN COUPLE.

Vous voulez que votre homme se sente pleinement «homme» dans la relation? Plus encore, vous voulez garantir qu'il vous sera dévoué? Alors, démontrez-lui votre appréciation!

Témoigner votre appréciation à votre partenaire lui donnera une ligne directrice sur ce qu'il doit faire, éviter ou répéter, pour ASSURER votre bonheur.

Un homme sera littéralement prêt à tout pour continuer à être apprécié... TOUT! Des rois ont fait bâtir des royaumes entiers pour faire plaisir à leur reine, car ils se sentaient appréciés.

Pour un homme, l'appréciation est un nectar dont il se délecte... surtout lorsqu'il lui est servi par sa chérie!

6. PAIX

Comme nous l'avons clairement mentionné, l'homme est un être simple. Ainsi, un de ses besoins fondamentaux est de conserver cette simplicité dans un maximum de sphères de sa vie.

Oui, c'est vrai. La vie n'est pas toujours simple, mais une chose reste sûre: la plupart du temps, vous avez le pouvoir de simplifier les complications grâce à votre façon de percevoir les situations.

Les choses inutilement compliquées éloigneront graduellement votre homme, car il aime la simplicité.

La plupart des hommes sont prêts à gérer un lot important de problèmes et de difficultés reliés à leur royaume au cours de la journée. Mais quand il rentre chez lui, dans son château, monsieur recherche la simplicité, la légèreté, la facilité et le confort à vos côtés.

En un mot : **c'est bon quand ça COULE** de soi et de source, que ça vient naturellement, normalement !

Si le chevalier doit continuer à lutter contre des dragons quand il rentre à la maison, il trouvera rapidement un autre endroit pour enlever son armure et se laisser aller.

Si sa vie au château est compliquée outre mesure, il cherchera forcément sa quiétude… AILLEURS !!!

Une femme qui simplifie la vie de son homme sera adorée, voire ADULÉE !

7. Respect et admiration

Le respect et l'admiration sont des ingrédients essentiels pour alimenter un couple en santé. Ce besoin est présent autant chez l'homme que chez la femme.

Petite nuance. Il est important de différencier l'admiration de l'appréciation. Il est possible d'apprécier quelqu'un sans toutefois le respecter. C'est par contre impossible d'admirer quelqu'un sans le respecter.

Très paradoxalement, ces deux ingrédients plutôt rationnels entretiennent grandement le côté émotionnel et affectif de la relation.

Pensez-y. On admire une personne pour ses réalisations, pour son savoir-faire, ou encore pour sa qualité d'être. L'admiration naît d'abord d'un processus, d'une analyse mentale. Cette même admiration est une condition préalable qui permet au respect de s'installer entre les deux parties.

En résumé, j'admire ce que tu fais ou qui tu es (ou les deux), et cette admiration fait en sorte que je te respecte. Pour madame, ça signifie initialement que monsieur a passé le test de la liste. Pour monsieur, ça signifie que madame est assez intéressante et sujette à être convoitée pour qu'il maintienne la relation et la nourrisse.

Si la chimie et la compatibilité sont présentes, le respect et l'admiration agiront comme catalyseurs et permettront à l'amour d'éclore au sein de la relation.

Ce point est si souvent ignoré et négligé, et il a pourtant un impact si important au sein du couple! Le jour où l'admiration commence à se dissiper entre deux partenaires, une réaction en chaîne s'ensuit rapidement…

Si l'admiration disparaît, le respect suivra rapidement, puis le désir, puis la sexualité… puis le couple!

Pour paraphraser un adage très connu: « Dis-moi la qualité de ta vie sexuelle, je te dirai la qualité de ta relation! »

Affirmez régulièrement à votre partenaire à quel point vous êtes fière de lui ou fier d'elle et pourquoi… C'est un puissant amplificateur d'amour et de connexion!

8. Liberté

Ce point est extraordinairement simple, et pourtant si souvent une source de conflits pour nombre de ménages.

Un homme qui se sent emprisonné dans une relation ÉTOUFFERA et éprouvera tôt ou tard la pulsion viscérale de s'en échapper!

Laisser à son homme sa liberté ne signifie pas d'accepter des comportements qui sont « inacceptables », selon vous. Ou encore d'avoir le sentiment d'être négligé dans votre relation. Bien au contraire ! En fait, laisser à votre homme sa liberté signifie plutôt que vous COMPRENEZ et RESPECTEZ son essence.

Si vous n'accordez pas sa liberté à votre homme, c'est que vous ne lui faites pas confiance. Établissez la source de ce manque de confiance et dites-lui. Courage !

Les meilleurs exemples concernent le plus souvent ses loisirs et ses amis. La plupart des mâles ont un cercle d'amis tissés serrés qu'ils entretiennent régulièrement… Ce sont leur clan, leur meute, leurs frères d'armes et leur seconde famille, si on veut. Ces clans peuvent être constitués d'un seul ami avec qui il est très connecté, jusqu'à plusieurs qu'il voit sur une base régulière.

Votre homme aura naturellement besoin de connecter avec son clan, car c'est, entre autres, pendant ces moments qu'il se RESSOURCE et RECONNECTE avec sa nature très YANG. Il se remplit d'énergie pour ainsi mieux redonner par la suite : VOUS REDONNER !

L'empêcher de vaquer à ses activités en tentant de réprimer sa liberté est une manière très subtile, mais toutefois violente de couper les ailes de votre partenaire. Jusqu'au jour où, tristement, vous vous entendrez lui dire qu'il a changé et que l'homme avec qui vous vivez n'est plus celui de qui vous êtes tombée amoureuse…

Pas étonnant ! Il a changé et s'est dénaturé pour vous faire plaisir !

Une femme qui entretient l'énergie de la peur et du contrôle (dans son ombre) peut littéralement, avec le temps, déclencher la métamorphose d'un prince en grenouille. En portant son attention sur tout ce qui ne fonctionne pas encore, elle fera ressortir le pire de son homme.

À l'opposée, **une vraie déesse à le pouvoir de transformer une grenouille en prince… C'est le pouvoir de l'appréciation !**

Beaucoup de femmes, par besoin de sécurité, tentent de contrôler leur partenaire et de lui imposer un horaire, un mode de vie, une heure de rentrée les soirs de sortie. C'est une ligne directe pour générer encore plus d'insécurité dans votre couple, car une tension prend inévitablement forme.

Votre capacité à laisser sa liberté à votre partenaire découle directement de votre aptitude à bien le choisir initialement.

Plus vous utiliserez l'équation du bonheur en couple et miserez sur une chimie catalysée par la communication, ainsi qu'une compatibilité et complémentarité, plus la confiance sera présente et spontanée entre lui et vous. Vous respecterez naturellement vos façons différentes d'évoluer au quotidien et dans la société.

Le manque de confiance envers son partenaire est extrêmement énergivore. Aimez véritablement son partenaire suppose de l'accepter tel qu'il est, pas de tenter de le contrôler et de le changer pour se sentir en sécurité !

Comme le dit si bien le proverbe chinois : « *Ce que tu aimes, laisse-le libre. S'il te revient, il est à toi. S'il ne te revient pas, c'est qu'il ne t'a jamais appartenu.* »

Faites confiance à votre homme, laissez-le RESPIRER !

Plus vous laissez de liberté à un homme qui vous aime, plus il reviendra vers vous en courant…

En guise de conclusion pour ce chapitre, mesdames,

ne sous-estimez jamais le pouvoir que vous avez sur votre homme. Le pouvoir qui vient des qualités du cœur et de vos vertus, le pouvoir de l'élever et de permettre au meilleur en lui de ressortir...

Votre pouvoir de DÉESSE !

En répondant à ses besoins, vous resterez véritablement au centre de sa vie. Il suffit parfois de clarifier votre investissement amoureux pour comprendre ce que vous voulez vraiment expérimenter et comment y arriver. Vous y êtes...

Une fois qu'on a reconnu qu'on attirait des relations compliquées par le passé, on peut consciemment faire place à une relation simple, ancrée dans un véritable amour et basée sur notre essence.

Que cherchez-vous ?

Chapitre 11

Votre investissement SEXSHIP

« Une vie sans amour et passion est une vie qui ne vaut pas la peine d'être vécue. »

– Rumi

Quel serait votre premier réflexe si nous vous affirmions qu'il est possible d'améliorer de façon significative la qualité de votre relation amoureuse en seulement 10 SECONDES par jour ? Pourriez-vous y croire, à la limite, et considérer la possibilité que ce soit vrai ?

Évidemment, quand on décide de s'engager à améliorer un aspect de notre vie, les résultats sont habituellement proportionnels à notre investissement. Chose certaine, en utilisant intelligemment l'expérience et les apprentissages des autres, on catalyse assurément ses propres résultats…

Pensez-y, si vous décidez d'apprendre à jouer d'un instrument de musique, le processus sera beaucoup plus agréable et simplifié si vous tirez avantage des enseignements d'un bon professeur !

Permettez-nous donc de vous transmettre le meilleur de notre expertise sur l'ART de l'Amour SEXSHIP. Dans ce chapitre, vous découvrirez un éventail de stratégies, d'astuces et de trucs simples, mais puissants qui amplifieront l'union avec votre partenaire (dont un qui ne nécessite réellement que 10 secondes)!

Les relations amoureuses du futur... maintenant!

Certaines personnes particulièrement sensibles le ressentent déjà, d'autres pas encore :

Un profond changement de société a débuté depuis quelques années. Nous entrons maintenant dans une ère d'éveil et de conscience, et les anciens modèles relationnels fonctionnent de moins en moins...

Si on observe la situation sur le plan mondial, des crises émergent de partout : environnement, politique, économique, société, etc. Rien n'échappe à ce mouvement énergétique, à cette transition de la conscience humaine, y compris le côté relationnel!

Nous souhaitons ici vous rassurer, bien que certaines personnes soient fondamentalement défaitistes et pessimistes, nous considérons plutôt la situation actuelle comme un moment pivot où le meilleur de l'homme a la possibilité d'être exprimé.

Selon nous, les crises présentes sur tous les plans sont en fait d'extraordinaires opportunités pour l'homme de se responsabiliser, d'assumer les conséquences de ses actions, et d'apprendre de ses erreurs passées afin de ne plus les répéter!

Quand on y pense, c'est très sensé. Les crises sont en fait des signaux d'alarme qui, tout comme la sonnerie de notre réveille-matin, nous poussent à nous éveiller et à nous adapter. Elles existent dans notre réalité pour nous servir! La même chose est vraie pour votre relation amoureuse (ou votre célibat interminable).

Si des crises persistent ou si vous êtes à la recherche de la personne idéale pour vous, c'est que vous êtes en période d'apprentissage. Le seul fait de lire ce livre est un engagement et un signe de maturité émotionnelle. Réfléchissez, qu'est-ce que toutes vos crises ont en commun?

VOUS!

Ainsi, toutes les réponses et solutions à vos défis sont déjà en vous. Il suffit de rester ouvert et d'expérimenter…

Bien que plusieurs angles puissent être abordés sur le sujet, *L'Amour SEXSHIP* se veut un guide stratégique qui favorise le choix conscient de chaque individu. Sur le plan amoureux, ça signifie plus précisément que le temps des sacrifices est TERMINÉ, qu'il doit cesser. Une relation qui ne réussit à subsister que par la nécessité de sacrifices des deux parties est, selon nous, une vision dépassée et désuète du couple.

Vous pouvez le remarquer partout autour de vous que plusieurs couples se déchirent et se brisent! La raison en est bien simple. C'est que les unions fonctionnant selon un vieux modèle de relation conventionnelle de lutte de pouvoir sont vouées à se DÉSINTÉGRER.

Eh oui, même avec de bien bonnes intentions, ces couples qui résistent au changement ne comprennent pas vraiment la source de leur profonde insatisfaction. Par ailleurs, il y a encore beaucoup de couples qui s'aiment, mais malgré l'amour, ignorent certaines notions essentielles à leur épanouissement et à leur évolution côte à côte. En vous ouvrant à quelque chose de différent, vous grandirez à tous les niveaux, particulièrement au bonheur au quotidien.

L'humanité est mûre pour passer au prochain niveau de son évolution relationnelle... Un profond changement s'installe maintenant dans le partage du pouvoir dans le couple, et ce changement doit d'abord passer par chacun d'entre nous, par VOUS!

Les couples conscients s'ouvrent progressivement à un nouveau modèle de collaboration, celui d'un partenariat amoureux (partnership en anglais, d'où la notion de SEXSHIP: un partenariat dans la sexualité). Ce même partenariat nécessite des changements, de la flexibilité, de l'ouverture, de la compassion, et beaucoup de foi en ce même modèle (un vocabulaire et un mode d'emploi).

Billy Sunday Mars, expert international en fitness sur l'érotisme (spécialisé à enseigner aux hommes comment écouter, toucher et faire l'amour à une femme dans tous les sens), affirme ceci :

«*People who can't grow together can't go together!* (Les gens qui ne peuvent évoluer ensemble ne peuvent cheminer ensemble!)»

Nous sommes totalement d'accord avec cet énoncé. Cela dit, selon notre expérience, si des partenaires s'ouvrent à la possibilité d'un nouveau modèle, à une nouvelle façon de fonctionner en couple, la continuation et l'évolution harmonieuses sont TOUJOURS POSSIBLES.

L'essentiel est d'apprendre à discerner si la relation a le potentiel de nous élever... ou si elle nous retient et nous empêche de grandir comme individu! Toutefois, en faisant un travail intérieur, les relations qui nous retiennent ont le potentiel de nous élever sur tous les plans.

Le message est donc simple : si vous êtes réellement destiné à vivre avec une personne et voulez sincèrement grandir et évoluer à ses côtés, le chemin vous sera indiqué et s'ouvrira à vous. Dans le cas contraire, nous vous invitons à considérer quelque chose de différent, de plus adapté à votre essence.

Rappelez-vous que, quand une porte se ferme, une nouvelle s'ouvre… il suffit d'observer! Si la personne que vous convoitez ou fréquentez s'en va, c'est qu'elle n'était pas la personne parfaite pour vous.

Le rejet est une forme de protection divine!

Tout est négociable et doit être négocié!

La toute première notion à laquelle vous devez impérativement vous ouvrir, si vous souhaitez créer un investissement SEXSHIP, est celle du compromis.

Que vous soyez célibataire en recherche de l'âme sœur, dans une nouvelle relation qui prend doucement forme ou encore dans une relation établie, tout est et doit être négocié au sein du couple. Clarifions d'abord les fondements du compromis…

Le compromis

En se basant sur la définition du dictionnaire, le mot compromis se veut un arrangement dans lequel deux (ou plusieurs) parties font des concessions mutuelles dans le but d'arriver à une collaboration. Il désigne également le résultat d'un choix entre plusieurs solutions. Il est composé des préfixes com (ensemble), pro (pour), et mettre, et est dérivé du verbe latin *compromittere* (promettre).

En compilant les données, il est facile d'en conclure que le compromis est en fait une stratégie pour créer l'accord et l'unanimité au sein du couple. **C'est l'art de se faire une promesse : celle de trouver un terrain d'entente mutuellement profitable et agréable pour les deux parties !**

L'Art du Compromis Créatif

Les termes étant maintenant clarifiés, passons maintenant à la seconde étape : l'art d'appliquer la théorie sur le terrain ! On peut vous entendre à distance : *« Voyons donc, c'est impossible que les deux parties soient toujours satisfaites… non ? »*

En fait, oui, c'est possible !

Cette croyance limitative mine, encore aujourd'hui, le bonheur d'un bien trop grand nombre de couples. Alors, comment s'y prend-on pour faire des compromis créatifs ? C'est simple, avec le Compromis Créatif, on crée jusqu'à ce qu'on ait trouvé !

Voici une petite marche à suivre en 3 étapes :

1. DÉTERMINEZ LE VRAI BESOIN

L'art de la négociation devrait toujours être basé sur une chose et une seule :

Les « vrais » besoins essentiels.

En étant totalement intègre à ce sujet, vous garantissez assurément votre succès. La première étape consiste donc à ce que les deux parties clarifient aussi précisément que possible leur « vrai besoin ». En anglais, on différencie les vrais besoins des souhaits en utilisant les termes « need » et « want ».

On pourrait les traduire comme suit : vos « need » sont en fait vos vrais besoins, ce qui est essentiel à votre bonheur. Tandis que vos « want » sont en réalité des souhaits, des choses que vous désirez à différents niveaux d'intensité, mais sur lesquels votre vrai bonheur ne repose pas réellement!

Ainsi, commencez d'abord par clarifier votre «VRAI» BESOIN.

2. Expliquez votre ressenti

Une fois vos vrais besoins établis, nous vous recommandons de connecter à un niveau plus subtil, celui de votre ressenti. Clarifiez et partagez avec votre partenaire à quel point il est important pour vous que votre point soit non seulement reconnu, mais considéré comme une priorité pour le bonheur mutuel des deux parties.

Plus précisément, à quel degré est-il important pour vous que votre préférence soit choisie pour ce sujet précis sur une échelle de 1 à 10, et surtout, POURQUOI? Expliquez à l'autre l'effet ultime et l'impact que cela aura sur vous, qui vous deviendrez dans un avenir rapproché si la décision penche de votre côté.

Par exemple, madame a besoin d'un peu plus de sommeil que monsieur. Pour récupérer, elle aime bien faire la grasse matinée le week-end. Si son besoin est comblé, elle aura ensuite plus d'énergie et sera en conséquence plus agréable et disponible.

3. Négociez

La troisième et dernière étape est simple: restez calme, soyez honnête et négociez! Dans l'optique d'une relation SEXSHIP alimentée par l'amour et la compassion, en exprimant sincèrement un besoin important à vos yeux, votre partenaire ne peut faire autrement que d'être réceptif, car il VEUT VOTRE BONHEUR.

Ainsi, si par exemple vous courez les magasins pour acheter une nouvelle voiture et que le choix de sa couleur pose problème (madame préférant le blanc et monsieur le noir), vous avez à négocier. Précisez d'abord vos besoins et clarifiez l'enjeu. Peut-être que la couleur sera fixée à un 9 sur 10 d'importance pour monsieur, car il l'utilisera plus régulièrement et que c'est un «gars de chars».

Madame pourra être plus encline à accepter et négocier une autre clause. Cette clause pourrait être n'importe quoi d'autre : de la prochaine couleur de la chambre à coucher, jusqu'à un voyage ou des vacances dans un endroit typique.

Voilà ce qu'un vrai couple guidé par l'Amour SEXSHIP fait dans la vraie vie. L'homme ou la femme fera un compromis et dira : «*Tu y tiens vraiment à cette couleur, mon amour? D'accord, chérie, mais tu m'en dois une, alors je choisis le lieu des prochaines vacances... Ou tu viens chez ma mère toutes les semaines au lieu de tous les mois. Tu es d'accord? Alors, on prend la couleur que tu aimes!*»

Ça, c'est un compromis INTELLIGENT! Où chacun des deux est gagnant.

Une fois le compromis atteint, les deux parties s'entendent et la paix s'installe...

Tout se négocie et tout doit être négocié, votre bonheur présent et futur en dépend! Encore une fois, le secret réside dans votre aptitude à négocier en partant de votre essence, et à choisir un partenaire en vous basant sur l'équation du bonheur en couple. Plus présents seront les 3 ingrédients, plus faciles seront les négociations. Avec les années, le fait de mieux vous connaître mutuellement fera en sorte que les négociations deviendront peut-être même inutiles!

Les sujets de négociation

Quand un couple se forme, que les deux parties communiquent avec succès, et qu'elles entament une vie commune, TOUT doit être négocié AVANT d'emménager ensemble.

C'est la CLÉ pour assurer une union sous le signe de la simplicité! Il existe 4 sphères majeures où la négociation pourra être nécessaire: le temps, l'espace, l'argent et le plaisir.

En fait, ce sont les points majeurs qui pourront générer des conflits et briser un couple s'ils ne sont pas clarifiés dès le départ, selon D^{re} Pat Allen.

1. LE TEMPS

Le temps du JE, du NOUS, et NOUS AUTRES (avec la famille et les amis). De combien de temps avez-vous besoin? Vous avez besoin de 2 semaines pour voyager SEUL par année. DITES-LE MAINTENANT!

2. L'ESPACE

La localisation de votre espace commun de vie, les responsabilités, la division des tâches. Où allez-vous vivre? Sur la Rive-Sud ou au centre-ville? Avez-vous besoin d'une pièce au moins pour vous dans la maison? DITES-LE MAINTENANT!

3. L'ARGENT

Le tien, le mien, le nôtre. Tout doit être clairement défini sur la table. Vous vous attendez à ce que votre compagnon prenne davantage en charge le coût de la vie à deux, car il gagne plus que vous. DITES-LE MAINTE-NANT! Dans son livre à la fois drôle et brillant *TOI et MOI*, l'extraordinaire auteur Marc Fisher note que la plupart des couples se disputent davantage au sujet de l'argent que du sexe. Il explique savamment comment éviter et – surtout – révolutionner les discussions sur les paiements et soucis financiers qui érodent le couple afin de transformer ces défis en opportunités.

À travers son ouvrage, on comprend ENFIN pour-quoi, en couple, on commence bien souvent par le sexe pour finir par l'argent! Vous serez étonné…

4. LE PLAISIR

Non sexuel ET sexuel. TON plaisir, MON plaisir, NOTRE plaisir. A-t-il besoin de sexe 3 fois par semaine ou 5 fois par semaine? Est-ce que c'est une combinai-son de jeux sexuels et non sexuels? C'est essentiel pour vous de… (à vous de compléter)! DITES-LE MAIN-TENANT!

Votre investissement SEXSHIP… la suite!

Vous savez maintenant comment vous y prendre pour nettoyer et revitaliser votre relation en résolvant les conflits récurrents. Enfin, vous commencez à expé-rimenter les joies d'un quotidien simple et léger où, à leurs plus hautes intensités, les anciens conflits se méta-morphosent en discussions animées.

Avec un peu de pratique, vous avez maîtrisé l'art du **compromis créatif** et êtes prêts pour la prochaine étape, votre prochain investissement… Ne cherchez pas plus loin! Voici un répertoire des 6 stratégies les plus efficaces pour amplifier votre connexion amoureuse avec votre partenaire.

Afin d'équilibrer la dynamique, nous vous proposons 3 investissements que monsieur peut faire avec madame, et vice versa !

Trois investissements pour monsieur avec madame

De manière générale, la grande majorité des femmes éprouvent un profond besoin d'être vues, écoutées et accueillies. Notez ici les termes employés.

Il existe un monde de différence entre remarquer et VOIR, entre entendre et ÉCOUTER, entre comprendre et ACCUEILLIR. La nuance peut sembler subtile, elle est pourtant bien simple.

Tout se joue relativement à la qualité de votre attention ! La façon la plus directe et efficace de créer un lien profond avec une femme est incontestablement avec une attention de qualité.

Vous voulez vous amuser avec votre femme (sur tous les plans) ?

Aidez-la à revenir en ce moment et à connecter avec le présent.

COMMENT ?

En passant à l'action et en contribuant à amoindrir son niveau de stress…

La meilleure façon de diminuer le stress d'une femme est de l'écouter. Elle a un GRAND besoin d'être écoutée et accueillie, de communiquer, quoi ! En développant une meilleure écoute auprès de votre chérie, vous l'aiderez bien plus que vous ne pouvez l'imaginer à se libérer des soucis et préoccupations qui pèsent sur elle.

Vous le savez, n'est-ce pas, une femme préoccupée n'est absolument pas prédisposée à l'amour! En écoutant et accueillant votre partenaire, son niveau de stress chutera et, par surcroît, son niveau d'ocytocine (l'hormone de l'attachement qui lui donne le «goût de vous») augmentera graduellement.

En ressentant qu'elle est «vraiment» écoutée, un sentiment de sécurité naîtra, ce qui lui donnera l'envie et l'énergie de se rapprocher de vous!

La connexion que vous alimentez avec votre partenaire par la qualité de votre attention augmente l'intensité d'attraction envers vous et lui donne le goût de vous! Encore une option où chacun des deux est gagnant!

Un profond sentiment d'attachement et de connexion est créé quand une femme sait qu'elle peut tout dire à son homme sans être jugée, interrompue ou critiquée… Elle est vue et reconnue au plus profond de son être, et se sent en totale sécurité!

Nous vous le répétons, la femme a un très grand besoin d'écoute.

Un manque de réceptivité peut littéralement vous coûter votre union. On peut d'ailleurs observer le phénomène avec nombre de mariages (en Amérique du Nord, littéralement 1 sur 2 se termine par un divorce).

La femme qui peut comparer son couple à un nid d'amour où elle a l'occasion de se ressourcer et de décompresser, développera rapidement un profond sentiment de gratitude et un besoin de redonner, et de partager ce sentiment avec son partenaire. Elle écoutera les autres autour d'elle et se rappellera secrètement à quel point elle est chanceuse d'avoir un tel homme dans sa vie.

Vous cherchez une garantie de succès amoureux à long terme ? Apprenez à écouter et accueillir votre femme ! Voici 3 investissements sur lesquels vous pouvez miser…

1. Le truc pour libérer sa partenaire : le bac de recyclage

Pour que la femme soit habitée de son pouvoir et de son essence, elle doit créer de l'espace en elle. Elle aime que tout son monde fonctionne bien et harmonieusement, que tout coule avec facilité. Lorsqu'une femme est contrariée et qu'elle ne peut l'exprimer clairement et complètement, elle se remplit d'énergie négative, de soucis, d'émotions lourdes et noires.

Tout comme un classeur qui déborde de dossiers non réglés, elle finit par DÉBORDER à son tour sur son compagnon…

Pour revenir à un espace de fluidité et d'ouverture, elle doit vider l'abcès. Elle pourra le faire, par exemple, en parlant à sa mère régulièrement ou encore en allant dîner avec sa meilleure amie. Reste que, sur une base quotidienne, la personne avec qui madame aura le plus besoin de ventiler sera… SON HOMME !

Que faire quand votre amoureuse éprouve le besoin de se vider le cœur, qu'elle souffre d'un trop-plein émotif ? C'est simple ! Mais juste avant de vous présenter la solution, gardez toujours en tête que, plus une femme attendra pour vider son sac, plus ça risque d'être évacué MALADROITEMENT ! Messieurs, quand vous détectez une urgence de vidange, voici un truc qui vous sauvera la mise, encore et encore...

Le bac de recyclage

Nous entretenons tous quotidiennement des pensées polluantes. Qu'on le veuille ou non, ces mêmes pensées façonnent notre réalité ! Curieusement, les processus de gestion de ces pensées ordurières sont différents chez l'homme et la femme.

Un homme aura généralement tendance à les gérer en intériorisant ses problèmes, en s'isolant pendant un laps de temps afin de trouver une solution concrète applicable.

La femme, de son côté, éprouvera plutôt le besoin d'extérioriser ce qui l'afflige. Garder cette pollution en elle la draine de son énergie vitale. Ainsi, elle fera tout en son pouvoir pour VERBALISER ce qui lui crée du stress et des soucis. C'est une des raisons pour lesquelles les femmes parlent généralement PLUS que les hommes !

Comme bons partenaires, votre mission est simple, messieurs : Aidez votre chérie à ventiler, à se débarrasser de ses vidanges émotionnelles pour les recycler en énergie d'amour et d'attachement envers vous.

Comment ? En sortant le bac de recyclage ! Pour ne pas compliquer une formule simple, voici en 4 étapes comment vous pouvez assister madame :

Première étape

Évitez de chercher des solutions à ses problèmes pendant qu'elle se vide le cœur et remplit le bac. Le nom de ce truc dit tout en soi-même : le bac de recyclage ! Permettez-lui de se libérer et de sortir toute cette négativité avec ouverture et amour… Votre réflexe masculin sera de lui venir en aide, de lui trouver des solutions…

Comme vous le voyez, votre mission est donc simple : FERMEZ VOTRE CLAPET ET ÉCOUTEZ.

C'est tout !

Deuxième étape

Imaginez que vous tenez un énorme bac à côté ou en arrière de vous, et que vous déposez dedans tout ce qu'elle verbalise. Ce que madame exprime a de la valeur, allons, n'en doutez pas ! Mais lors de ces moments particuliers, le besoin de votre partenaire qui prime est de « sortir le méchant ».

Vous ne voulez pas vous approprier cette énergie, vous voulez seulement l'aider à s'en débarrasser et à la RECYCLER !

Troisième étape

Dès que votre femme reprendra son souffle, profitez-en pour faire de même, et demandez-lui ensuite s'il y a autre chose qui la trouble ? Puis déposez de nouveau tout ça directement dans le bac.

Surtout, restez PATIENT.

La quantité d'énergie négative qu'une femme peut emmagasiner au cours d'une journée est impressionnante et ça prend parfois un certain temps avant de tout débloquer. Plus vous y mettrez de votre amour et de votre ouverture pour l'écouter et la comprendre, plus vous serez en mesure de recycler tout ce stress en amour et connexion !

La QUESTION CLÉ : *« Y a-t-il autre chose qui te préoccupe ? »*

Quatrième étape

Une connexion physique (par exemple, un toucher, une caresse, prendre sa main, etc.) aide à la «grounder», à remettre les pieds sur terre, et boucle habituellement le processus. Ce geste met pour ainsi dire le couvercle sur le bac de recyclage.

Une fois les étapes terminées, il y aura un mouvement naturel d'élévation chez votre partenaire, comme si un nuage se dissipait, qu'une lourdeur se transformait soudain en légèreté. Votre chérie se sentira écoutée, respectée, accueillie et aimée. Son accumulation de stress aura été recyclée en énergie positive. Dès lors, elle sera centrée et connectée sur son pouvoir de création, et vous en fera bénéficier à bien des degrés! Vous deviendrez son héros...

MISSION ACCOMPLIE!

Le truc du bac de recyclage contribuera grandement à libérer ce qui entrave votre communication. Encore plus, avec le temps, vous vous connaîtrez à un tel point qu'il y a de fortes chances que vous n'ayez plus besoin de l'utiliser. Le recyclage se fera naturellement, sans nécessiter un contexte ou un moment particulier. Il sera intégré à votre conversation quotidienne!

P.-S.: Dans notre société moderne, plusieurs hommes ont développé un côté YIN qui est très présent au quotidien. Ces hommes ont parfois des besoins très similaires à ceux de la femme. En ce qui a trait à l'écoute, l'accueil, et la technique du bac de recyclage, l'application est la même pour monsieur!

2. *Jouez au détective*

Messieurs, ouvrez grands vos yeux, vos oreilles, et portez attention à ce qui suit :

Une femme parlera encore et encore, verbalisera ce qui l'afflige sans relâche, jusqu'à ce qu'elle se sente vraiment ACCUEILLIE !

Si vous négligez de l'écouter vraiment ou d'une oreille distraite en regardant la télévision, vous en subirez les conséquences. Le défi ici est que, pour se sentir réellement écoutée, chaque femme se dote de règles et de paramètres différents... C'est exactement comme pour le sexe !

Ainsi, votre mission (si on peut la nommer ainsi) est de découvrir ces mêmes règles et de les utiliser pour HARMONISER vos communications. Comment ? En jouant au détective !

Vous devez impérativement établir ce qui fonctionne avec votre chérie en observant attentivement, et en posant des questions qui l'aideront à comprendre ses propres processus. La meilleure façon de faire est de prévenir plutôt que de guérir.

Si vous commencez à lui poser des questions quand madame est sur le bord de la crise de nerfs, vous vous prendrez une brique et un fanal en pleine gueule ! Non, usez plutôt de finesse et apprenez à comprendre votre chérie avant qu'elle soit dans un mode « trop-plein ». Posez vos questions en période de paix. En utilisant votre capacité à observer, vous améliorerez et accélérerez grandement le processus du recyclage.

Vous avez tout intérêt à donner à la femme de votre vie ce dont elle a besoin. Vous ignorez comment ? Demandez-lui de vous éclairer et de vous guider !

L'erreur classique que commettent beaucoup d'hommes est de donner ce qu'ils souhaitent recevoir. Ça peut parfois fonctionner, oui. Mais, règle générale, les hommes et les femmes sont fondamentalement différents.

Développez le réflexe de creuser, d'investiguer, de jouer au détective pour mieux comprendre ce que vous devez faire pour que votre chérie se sente comprise et accueillie. Faites-la parler, posez des questions à ses bonnes amies, remarquez les produits de beauté qu'elle utilise, les loisirs qu'elle préfère, les rêves dont elle parle… Jouez simplement au détective et posez des questions.

Voici quelques exemples :

— *Qu'est-ce que je fais de bien et qui fonctionne ?*

— *Qu'est-ce qui pourrait être amélioré de mon côté ?*

— *À quel moment te sens-tu la mieux accueillie et écoutée ? Pourquoi ?*

Demandez un *feedback*, une rétroaction, et écoutez ce que votre partenaire vous partage. En lui demandant ce qu'elle préfère, ce qui la fait vibrer, vous vous assurez une ligne directe pour la rendre heureuse. En agissant ainsi, vous envoyez un message clair et très attirant pour une femme :

J'ai fait le choix de m'engager avec toi, je veux ton bonheur. Aide-moi à COMPRENDRE qui tu es pour m'aider à MIEUX T'AIMER !

Rappelez-vous que l'intensité initiale de votre chimie durera au maximum trois ans, ensuite elle se métamorphosera en quelque chose de différent. Plus vous préparerez le terrain à la communication consciente et éclairée, plus vous maximiserez vos chances de rester connectés pendant les années à venir!

Plus vous déterminerez les paramètres qui permettent le bonheur de votre chérie, plus facile ce sera d'assurer votre bonheur commun...

3. Pensez détails

Si vous l'ignorez encore à ce point, il est primordial que vos yeux et votre esprit soient grands ouverts à ce sujet. Messieurs, les femmes possèdent une extraordinaire capacité de remarquer les détails.

Elles accordent beaucoup d'importance aux petites choses du quotidien; ces petites choses que bien des hommes considèrent comme insignifiantes! C'est d'ailleurs en se basant sur ces petits détails que madame vous accordera des points ou vous en enlèvera!

Au début, c'est plutôt simple. La grande majorité des hommes sont de vrais Casanovas, à vos petits soins. Puis, progressivement, au fur et à mesure que l'homme considère avoir séduit sa chérie, il commence à «tourner les coins ronds»!

Le but de ce livre n'est pas de pointer du doigt, mais bien de mettre en lumière que, si vous voulez rester «en amour», il est essentiel de continuer à faire des gestes alimentant cette énergie! Vous savez, ces petits gestes que vous faisiez par réflexe pendant la période de séduction: être galant, ouvrir la porte de la voiture, la complimenter sur sa beauté, remarquer sa nouvelle coupe de cheveux, etc.

Ces détails sont importants pour vous au début. Pourquoi?

Parce que vous savez pertinemment qu'ils fonctionnent en matière de séduction !

Ils vous sont utiles, alors vous les utilisez. Puis progressivement, ils deviennent de moins en moins importants à vos yeux, mais pas pour votre femme ! Elle est, et restera toute sa vie, fondamentalement programmée à remarquer ces subtilités.

Ainsi, jouez au détective et découvrez les détails qui font en sorte que votre chérie se sent comme la déesse qu'elle est. Vous en serez le premier récompensé ! Afin de vous aligner sur une piste certaine, voici un détail qui vous fera obtenir des points à coup sûr :

Offrez votre « WOW »…

Offrir son « WOW » à sa compagne est une astuce si simple, et pourtant si négligée chez la plupart des hommes. Toutes les femmes ont besoin d'être vues, d'être désirées, c'est un fait ! Il y a toutefois des moments où madame a spécialement besoin de votre reconnaissance : surtout après avoir passé un bon moment (oui, parfois des heures !) à se préparer avant de sortir.

Souvent, le réflexe masculin est de s'impatienter et de bougonner que c'est long, que ça prend du temps, que vous en avez assez d'attendre ! Rappelez-vous d'abord qu'elle le fait pour elle… et surtout pour VOUS. Quand votre femme se met belle pour vous, elle s'attend à recevoir un « WOW » de votre part !

Le simple fait de témoigner à votre chérie à quel point vous la trouvez magnifique est une façon extraordinairement efficace de nourrir le sentiment d'amour qu'elle vous porte. On a toujours tendance à aimer davantage une personne qui nous aime et nous apprécie… C'est encore plus vrai en amour !

En négligeant de reconnaître les efforts de madame pour vous plaire, elle cherchera probablement cette reconnaissance chez les autres… ce qui peut générer un froid et une distance entre vous. Votre femme ne tient pas à tout prix à avoir l'approbation et l'attention de tout le monde dans la pièce. Oui, elle l'appréciera, bien sûr, mais au fond d'elle-même, ce qu'elle désire plus que tout, c'est votre approbation et votre reconnaissance… votre « WOW » à vous !

Quand votre chérie se met belle, dites-lui à quel point vous la trouvez superbe et la désirez…

Trois investissements pour madame avec monsieur

Nous vous l'avons écrit à maintes et maintes reprises : un gars, c'est simple. Toutefois, même s'il est simple, il reste que vous ne connaissez probablement pas encore tous les secrets pour toucher son cœur instantanément, enfin pas tous !

La connexion que vous entretenez avec votre chéri peut toujours être approfondie. Pour ce faire, voici 3 petites astuces qui, si elles sont utilisées sincèrement et régulièrement, vous permettront de connecter rapidement avec votre homme…

1. Le truc des 20 secondes

Prenez d'abord un moment et rappelez-vous une conversation importante récente avec votre partenaire. Plus précisément, remémorez-vous le rythme de la conversation, les échanges entre vous et lui, comment la discussion s'est terminée.

Si vous aviez à évaluer sa capacité d'exprimer ses pensées clairement, lui accorderiez-vous une note de succès, de passage, ou d'échec?

Ce n'est pas un secret, les hommes ont, pour la plupart, une capacité légèrement moins développée d'exprimer leurs pensées. Quand on y pense, la raison en est simple. Monsieur n'a pas ce besoin de tout verbaliser pour bien fonctionner. Étant fondamentalement très YANG, il préfère (généralement) l'action à la négociation.

Un homme réfléchit mieux lorsqu'il est en action. Il canalise une partie de son énergie sur une action caractéristique, ce qui occupe son mental, le calme, et lui permet de gagner en perspective. Pendant que simultanément, une autre partie est orientée à ressentir l'effet de la solution du dit problème. Le mouvement lui permet de voir plus clair. Il existe de nombreuses preuves scientifiques au sujet de ce trait de caractère…

Des recherches avancées en neurobiologie, effectuées par la D^re Pat Allen et thérapeute américaine en communication du couple, prouvent un fait très intéressant. Dans son livre *The Answers Book*, elle prône que les hommes ont moins de connexions nerveuses entre les deux hémisphères de leur cerveau.

Est-ce que ça veut dire qu'ils sont de moins bons communicateurs? Bien sûr que non, allons! Non, en fait ça signifie plutôt qu'ils fonctionnent légèrement différemment quand ils communiquent…

Étant «branché» différemment sur le plan neurobiologique, l'homme est d'une certaine façon programmé pour ne porter son attention que sur une seule chose à la fois (le maître du focus!). Quand un homme communique, l'hémisphère gauche de son cerveau reçoit la question et analyse le sens, l'étiquette qui doit y être apposée pour entraîner la réflexion.

Une fois cette étape enclenchée (qui ne prend qu'une fraction de seconde), la question et son sens seront transférés dans l'hémisphère droit pour calibrer le ressenti et valider comment l'interlocuteur se sent à propos du sujet et de ses choix de réponses.

En troisième et dernière étape, la réponse basée sur la concordance entre sa pensée et son ressenti sera réexpédiée vers l'hémisphère gauche pour être verbalisée et exprimée… en « espérant » que c'est la réponse que vous SOUHAITEZ ENTENDRE!

Un homme pense, ressent, exprime… pense, ressent, exprime… pense, ressent, et exprime.

Si vous lui en donnez l'occasion (et surtout le TEMPS), votre partenaire vous révélera probablement de GRANDS SECRETS enfouis au tréfonds de lui. Il suffit de savoir comment s'y prendre! Nous vous proposons donc un petit défi, une stratégie pour aider votre homme à s'ouvrir et à communiquer ses pensées lors des moments clés. C'est ici qu'entre en jeu le truc des 20 secondes…

Lorsque vous discutez avec votre homme d'un sujet qui vous tient à cœur, et que vous désirez sincèrement connaître son opinion, sa pensée…

Donnez-lui le temps de vous l'exprimer!

Parfois, par impatience, lecture de pensée, interprétation erronée du temps de réponse prolongé, ou simplement par désir de lui faciliter la tâche, vous ne lui accordez pas suffisamment de temps pour vous répondre… Voici donc un nouveau barème, une nouvelle manière de faire:

Dès votre prochaine conversation, allouez AU MINIMUM 20 SECONDES à votre homme pour qu'il vous réponde. Spécialement si le sujet est nouveau et délicat pour lui. Il aura à y penser à deux et même trois fois afin de vous donner une réponse digne de l'amour qu'il vous porte !

Accordez toujours un minimum de 20 secondes à votre amoureux pour qu'il réponde à une question importante…

De plus, parce que vous aimez particulièrement l'échange et la connexion, c'est souvent un réflexe naturel chez vous de renchérir ou d'interrompre votre homme quand il s'exprime.

Comprenons-nous bien. Vous n'agissez pas de cette façon par manque de respect, au contraire, c'est pour vous une manière d'indiquer à votre partenaire que vous êtes présente, que vous l'écoutez avec attention et que vous participez à la communication.

La preuve ?

Observez un groupe de femmes qui discutent ensemble ! Le hic avec cette habitude que vous avez adoptée de l'interrompre, c'est qu'il y a un TRÈS GRAND RISQUE que votre homme se REFERME avant même de s'être complètement ouvert. Ça fonctionne parfaitement avec vos amies, mais beaucoup moins avec votre homme. Vous pigez ?

Un homme qui commence à s'ouvrir pour communiquer entre généralement dans un espace de VULNÉ-RABILITÉ. À ce moment-là, d'une façon très similaire à celle de la femme, il a grand besoin d'accueil et de réceptivité… il est dans un état où sa sensibilité est à vif ! Ainsi, en l'interrompant, même si votre intention est des plus positives, vous générerez l'effet contraire à celui souhaité :

Votre homme se refermera pour protéger cette vulnérabilité, et risquera de perdre le fil de ses pensées.

Développez l'habitude de, non seulement allouer au minimum 20 secondes à votre homme pour vous répondre, mais également de «focuser» entièrement sur ce qu'il vous partage et d'attendre un moment avant de reprendre la parole. Donnez-lui la chance d'exprimer le fond de sa pensée.

En guise d'avertissement, nous préférons vous prévenir, il est possible que ses réponses n'aient pas particulièrement de sens pour vous, qu'elles ne soient pas très logiques ou encore qu'elles vous prennent au dépourvu en vous menant dans une direction que vous n'aviez pas envisagée.

C'est fantastique !

Vous apprenez à découvrir (ou redécouvrir) votre homme. Enfin, vous n'aurez plus à tenter de le deviner ou encore à essayer de lire dans ses pensées… vous saurez VRAIMENT ce qu'il pense et ressent. Ce ne sera peut-être pas ce que vous aviez anticipé, vous serez parfois étonnée.

Préférez-vous imaginer votre homme, ou le connaître réellement pour qui il est vraiment ? C'est un choix conscient ! Il n'y a rien de plus magique que de savoir que vous avez la clé qui ouvre le cœur de votre homme, votre intimité grandira énormément.

Développez l'habitude de laisser à votre partenaire le temps de vous répondre, mais aussi d'en rajouter, s'il le souhaite, avant de l'interrompre !

2. Permettre à son homme de décompresser

Voici un truc qui, si vous apprenez à l'utiliser sur une base régulière, vous vaudra l'adoration de votre homme :

.L'aider à se DÉPOSER, décompresser et à donner libre cours à la détente.

Quand on y pense, les hommes et les femmes sont à la fois sensiblement semblables et bien différents. Une chose reste certaine, à moins d'être spirituellement TRÈS évolué et en conscience, un être humain « normal » fonctionnant au quotidien accumulera du stress… homme OU femme. Là où la différence est flagrante, c'est dans sa manière de l'évacuer…

Quand, de son côté, madame a besoin de l'exprimer et de le verbaliser, monsieur a plutôt besoin de se déposer afin de se laisser aller pour mieux le gérer. L'auteur américain John Gray l'explique savamment en comparant la femme à une vague qui monte et descend en émotion, et l'homme à un guerrier qui décompresse dans sa grotte intérieure pour ensuite mieux revenir à sa dulcinée, ressourcé et en paix.

Ce qui explique pourquoi, de temps à autre, votre homme vous semble absorbé et distant. Il s'est isolé dans sa grotte afin de réfléchir et trouver des solutions aux problèmes qui l'affligent. Dans ces moments charnières de la semaine, votre priorité est de respecter le besoin d'isolement de votre partenaire et, encore plus, de lui faciliter la tâche…

Pour ce faire, une attention et une stratégie extraordinaire que vous pouvez offrir à votre homme est de l'aider à « se déposer ». Avant d'aller plus loin, clarifions d'abord le terme. Pour l'homme, l'action de se déposer est directement reliée à ce qui l'incitera davantage à revenir en ce moment PRÉSENT et à se détendre physiquement, mentalement, et émotionnellement, à décompresser, quoi!

Ne commettez pas l'erreur de faire avec lui ce que vous aimeriez qu'il fasse avec vous. Ses stratégies pour décompresser et se détendre sont probablement bien différentes des vôtres! Non, offrez-lui plutôt ce dont IL a besoin! Comment? D'abord en lui expliquant le concept pour le mettre en contexte, puis en lui demandant ce qui favorise au maximum sa détente quand il est stressé.

Évidemment, il vous regardera peut-être avec un grand sourire niais et vous dira probablement que vous le savez déjà… en dirigeant son regard vers la couchette! Entrez dans le jeu pour amplifier sa réceptivité à vos questions qui lui sembleront peut-être curieuses, et creusez plus loin:

— *À quel moment de la journée, de la semaine, es-tu le plus détendu, pourquoi?*

— *Quand tu te sens très tendu, que fais-tu pour redescendre et décompresser?*

— *Comment pourrais-je t'aider à décompresser à la fin de ta journée de travail? Quoi d'autre?*

Restez ouverte, peut-être connaissez-vous déjà les réponses à ces questions… mais peut-être pas ENTIÈREMENT! Il est possible que votre homme ne vous ait pas encore tout dit! Si vous réussissez à apprendre ne serait-ce qu'une seule information qui a le pouvoir de faire une différence et facilite le processus, vous aurez gagné votre pari!

Il existe un nombre impressionnant de façons de se décontracter, et c'est à vous de faire preuve de curiosité pour découvrir les préférées de votre amoureux.

Certains utilisent des méthodes qui s'appliquent par eux-mêmes, par exemple le sport. Dans ces cas, votre mandat est d'encourager votre homme à faire ce qui lui fait du bien… de l'aider à décompresser quand il est davantage stressé. Pour d'autres, le processus est grandement facilité quand il est réalisé avec l'aide de sa chérie.

Par exemple, pour David, un gars très affectueux, la manière directe de se détendre est de « littéralement » se retrouver dans les bras de sa dulcinée. Ce moment est sacré. Elle l'accueille à bras ouverts et prend tout le poids de son corps sur elle en lui flattant le dos. Quelques minutes plus tard, il se sent libéré, détendu et régénéré… Ce que nous entendons par « se déposer » ! C'est à ce point puissant !

Découvrez comment votre homme s'y prend pour décompresser et aidez-le à y parvenir au mieux de vos capacités !

3. Le truc des 10 secondes

Vous êtes maintenant consciente de l'importance cruciale d'aider votre partenaire à se détendre. Ainsi, afin de vous faciliter la vie, nous vous proposons une solution qui se veut une formule universelle avec la gent masculine. Son taux de succès n'est évidemment pas de 100 %, c'est impossible !

Mais disons simplement que, pour la plupart des hommes, elle déclenche rapidement une transition entre le mode « travail » et « maison », entre le ROYAUME et le CHÂTEAU. C'est un magnifique cadeau que vous avez l'occasion d'offrir à votre chéri, cadeau qui ne mobilisera tout au plus que 10 secondes de votre journée...

Curieuse ?

On ne vous fera pas patienter plus longtemps, voici le truc :

À partir de maintenant, quand votre partenaire rentre à la maison, dès qu'il franchit le seuil de la porte d'entrée, laissez TOUT ce que vous faites, allez à sa rencontre... et EMBRASSEZ-LE pendant au moins 10 secondes (debout).

Il est ici important de clarifier que les petits becs secs ne sont pas considérés comme l'action d'embrasser votre amoureux ! Non ! Nous parlons ici d'offrir un baiser tel que vous en donniez dans la période initiale de séduction, à vos débuts !

Instantanément (les premières fois du moins), vous observerez un regard d'étonnement sur le visage de votre amour ! Grâce à ce geste, vous stimulez une réaction en chaîne d'échanges chimiques dans son système nerveux. Il en résulte une reprogrammation, un reconditionnement progressif du système.

Avec un peu de temps et de répétition, il aura une hâte quasi viscérale de rentrer à la maison... Vous aurez créé ce qu'on appelle dans le domaine de la PNL (programmation neurolinguistique) un ancrage. Pour en apprendre davantage sur ce sujet, nous vous recommandons le premier livre de David, *Ralentir pour Réussir*.

Pensez-y un moment, relisez la section du chapitre 10 sur le temps de transition. Pourquoi certains hommes associent-ils le retour à la maison à une PUNITION ?

Parce qu'ils se font accueillir avec des accusations, des questions et un regard de désapprobation ou ils sont tout bonnement ignorés. Pour le résumer simplement :

Ils ne peuvent retirer leurs armures à leur arrivée dans leurs propres châteaux !

Il ne vous l'avouera peut-être jamais, mais un de ses secrets les mieux gardés (parfois de lui-même), c'est qu'il a toujours rêvé d'être accueilli à la porte par sa chérie !

Certains diront que c'est vieux jeu ou encore rétrograde, que l'idée de la femme qui s'occupe de son homme à son arrivée est dépassée...

Imaginez entrer dans un hôtel 5 étoiles et ne pas être accueillie !!!

Vous voulez vivre le grand amour... prenez des mesures pour !

Nous souhaitons tout de même vous préparer à une probable éventualité. Il est possible que, les premières fois où vous utiliserez la stratégie, votre homme soit froid ou vous lance une platitude du genre :

« Qu'est-ce qui se passe avec toi aujourd'hui ? »

Il y a une raison majeure à ce comportement : vous l'avez DÉSTABILISÉ et il utilise une manière bien maladroite de retrouver le statu quo. Dans pratiquement tous les cas, ça lui fait plaisir au plus haut point. Mais cette réaction est vécue de manière si intense à l'intérieur qu'elle est exprimée gauchement à l'extérieur.

Plusieurs hommes sont autant (sinon plus) sensibles que les femmes !

À partir du moment où votre homme comprend ce qu'il l'attend en rentrant, son attitude changera. En anticipant, voire en sachant qu'il sera accueilli chez lui de façon spectaculaire, d'une manière qui lui permettra (la plupart du temps inconsciemment) de se détendre et de se sentir aimé, votre homme sera naturellement ATTIRÉ non seulement à rentrer chez lui, mais à communiquer et à s'ouvrir !

Ce que nous vous proposons ici est de créer une forme de rituel sacré où, dès que votre partenaire arrive, il est accueilli comme le chevalier conquérant qu'il est…

Vous n'avez pas idée à quel point ce geste en apparence banal aura un impact sur votre connexion amoureuse. Il a le pouvoir de tout révolutionner de façon instantanée !

Embrasser son homme pendant 10 secondes ininterrompues, dès son arrivée à la maison, est une façon directe et efficace de l'aider à se détendre… et à vous ouvrir son cœur.

Mesdames, ne soyez pas surprises, un jour ce sera LUI qui vous accueillera !

Voilà, vous avez maintenant entre les mains 6 stratégies qui, si utilisées intelligemment, vous permettront d'accroître votre connexion et de faire passer votre relation au prochain niveau de son évolution. La cerise sur le *sundae*, c'est une des règles d'or à respecter, peu importe votre sexe…

La règle d'or

En couple, les messages textes peuvent s'avérer extrêmement utiles pour informer son partenaire de petits détails, ou encore pour lui témoigner son amour. Seulement, en cas de conflit, il peut agir comme un amplificateur de distance et compliquer la communication.

Pourquoi ?

Parce que tout est une question de perception et qu'il est dangereusement facile d'interpréter un message de quelques mots, sans expression, de multiples façons. Les messages textes et les courriels ne devraient JAMAIS être utilisés lorsqu'il y a un conflit ou que l'un des partenaires est fâché. Même si le geste est rempli de bonnes intentions, en amour, il peut être comparable à la roulette russe… Les chances sont tout simplement trop grandes pour que vos mots soient mal interprétés.

Ayez le courage de communiquer de vive voix (au moins par téléphone), même si cela vous demande des efforts, votre partenaire l'appréciera et la connexion entre vous s'amplifiera !

Pour conclure, nous vous invitons à un dernier exercice afin de maximiser vos chances de succès et vos résultats :

Discutez ENSEMBLE de ce que nous vous avons transmis.

Votre réalité, notre réalité… et LA réalité !

Dans un monde de possibilités et de différences, nous tentons de vous partager une version qui est universelle et générale. Votre réalité peut cependant être bien différente de ces lieux communs ou ces comportements stéréotypés.

Ainsi, accordez-vous un moment autour d'un bon souper, peut-être même avec une bonne bouteille de vin, et partagez sur le sujet. Vous réaliserez peut-être que c'est madame qui a besoin d'être accueillie et embrassée à son arrivée… et que c'est monsieur qui a davantage besoin de communiquer et de dialoguer…

TOUT EST POSSIBLE! Apprenez à communiquer pour connecter…

Le moment est venu de faire révolutionner la connexion à un niveau supérieur.

Vous êtes maintenant prêts pour les QUALITÉS DU CŒUR…

CHAPITRE 12

Les qualités du cœur

«Aimer, ce n'est pas seulement "aimer bien";
c'est surtout comprendre. »
— FRANÇOISE SAGAN

Quand David demanda à ses parents, mariés depuis plus de 30 ans (et encore très amoureux), la recette du succès de leur union, ils répondirent tous deux spontanément :

« Nous avons cessé d'essayer de nous changer l'un et l'autre. Nous nous aimons tels que nous sommes, pour qui nous sommes vraiment... »

Quand on y pense, la voilà la recette du succès en amour : ACCEPTER, RESPECTER et APPRÉCIER l'essence profonde de la personne à nos côtés...

La recette du succès en amour : Accepter, Respecter, Apprécier.

Dans l'optique d'une relation guidée par l'Amour SEXSHIP, les deux partenaires font équipe pour s'élever mutuellement. Ils reconnaissent leur instinct «des cavernes», et choisissent de passer à un niveau de conscience plus élevé...

Celui du CŒUR.

Éclairés par les qualités du cœur, les partenaires peuvent ainsi s'élever, catalyser et amplifier leurs forces mutuelles respectives:

«Je t'aide à grandir, tu m'aides à grandir. Parce qu'on s'aime pour qui on est vraiment, on s'épanouit et on grandit ENSEMBLE!»

La recette

Quand on cuisine un gâteau, certains ingrédients sont essentiels à la réussite. La même chose est vraie lorsque l'on décide de concocter une relation amoureuse extraordinaire! Il existe des ingrédients qui assureront la saveur, la texture et la qualité de votre union à coup sûr.

Voici donc une liste, une recette de qualités et traits de caractère que nous vous invitons à développer et intégrer dans votre réalité sans tarder.

Ces éléments, s'ils sont utilisés intelligemment et spontanément, deviendront rapidement une valeur sûre majeure pour votre couple… sous le signe de l'Amour SEXSHIP!

Comme vous avez pu le constater au fil de votre lecture, l'Amour SEXSHIP, c'est une relation où vous:

♥ **êtes responsable** parce que…
chaque personne est responsable de son bonheur.

♥ **adoptez une discipline spirituelle** parce que…
une force intérieure est essentielle au succès du couple.

♥ **développez une ouverture du cœur** parce que…
sans cette ouverture, la compassion est impossible.

♥ **communiquez et…**
la communication honnête et sincère est continue.

♥ **choisissez la monogamie et…**
le couple se choisit l'un et l'autre exclusivement.

♥ **dialoguez et…**
le dialogue sur les besoins et préférences sexuelles est ouvert et continu.

♥ **êtes réceptif et…**
le niveau de confiance de chaque individu est élevé et plus constant, il est facile de s'exprimer.

♥ **respectez et…**
chacun se sent libre à l'intérieur de la relation.

♥ **admirez** parce que…
par les choix puissants que chacun fait, le couple choisit de grandir ensemble.

♥ **êtes généreux** parce que…
chacun se donne pleinement à l'autre.

♥ **êtes humble et…**
l'humilité permet de développer une curiosité envers son partenaire.

♥ **êtes ouvert d'esprit et…**
la résolution de conflits ne vous effraie plus.

♥ **êtes patient** parce que…
l'amour est patient.

Votre responsabilité...

Vous êtes responsable de l'énergie et de la vibration que vous choisissez d'amener au sein de votre relation, que ce soit de manière consciente... ou non !

Dès que vous prenez conscience que vous portez une énergie négative en vous, travaillez en conscience à transmuter cette énergie en quelque chose de plus lumineux avant de rentrer à la maison.

Oui, c'est certain, parfois nous vivons des situations qui génèrent en nous une véritable cascade d'émotions lourdes et noires... Ça arrive aux meilleurs des meilleurs. Ne vous en faites pas trop avec cette réalité...

Personne n'est parfait !

De notre côté, nous vous recommandons simplement de ne pas alimenter une ambition de perfection. Elle n'est pas de ce monde de toute façon ! Développez plutôt l'habitude de « faire de votre mieux ».

Afin de vous accorder sur la fréquence vibratoire qui vous fera grandir et évoluer, votre mission est de vivre chaque moment de votre vie en étant la meilleure version de vous-même... Ce n'est pas un petit mandat, ne le sous-estimez pas !

Rappelez-vous que faire de votre mieux signifie également de respecter et admettre que vous ne puissiez pas toujours être à 100 %. Parfois, faire de son mieux, c'est respecter qu'aujourd'hui ça aille moins bien, que le niveau d'énergie soit plus bas... et c'est correct ! Assurez-vous simplement de rester congruent, en harmonie avec vos valeurs intrinsèques. De cette façon, vous serez toujours la meilleure version de vous-même...

Faire de son mieux, c'est être connecté à son essence!

En investissant **votre temps et votre énergie, les deux plus importantes ressources de l'être humain**, à donner le MEILLEUR de vous-même, vous envoyez un message clair et précis à l'univers :

Vous faites de votre MIEUX et vous vous attendez à recevoir le MEILLEUR de la vie.

Avec un peu de temps et de patience, une habitude se créera. Un lien entre des millions de neurones (connectés par des synapses dans votre cerveau) générera un nouvel automatisme conditionné. Cette nouvelle autoroute neurologique agira en votre faveur sans jamais prendre de pause.

Faire briller votre lumière intérieure à l'extérieur deviendra un réflexe pour vous!

Toutefois, pour se rendre à ce niveau de conscience, ça requiert des efforts nécessaires. Ce qui vous définit comme individu, ce ne sont pas seulement vos paroles, mais également vos engagements envers vous-même, et vos actions pour les respecter.

Avant de rentrer à la maison, prenez la responsabilité d'amener une énergie propice à l'amour et à l'harmonie. Posez-vous la question :

« Dans quel état suis-je en ce moment, est-ce que cette énergie me permettra de vivre ce que j'ai envie de vivre avec mon partenaire ? »

Si la réponse est NON, et que vous êtes dans un état de frustration, de peur ou de stress, prenez un moment pour faire une pause et vous remettre « au NEUTRE ». Si c'est nécessaire, choisissez la route la plus LONGUE pour revenir à la maison. Accordez-vous un temps de transition supplémentaire pour vous centrer et transmutez les émotions négatives qui vous habitent en choisissant la paix, l'amour et la romance à l'avance !

Les chances de générer du positif dans son couple sont bien faibles quand on ramène des situations toxiques à la maison ! Le seul fait d'accepter votre entière responsabilité permet à votre énergie d'évoluer et d'amplifier. C'est une nouvelle façon plus consciente de respecter les gens qui font partie de votre entourage et que vous estimez.

Prêcher par l'exemple

Trop souvent, on s'imagine que la meilleure façon d'influencer les autres est de leur dire « quoi faire ». Malheureusement, ce geste produit bien souvent l'effet contraire.

Nous sommes dans une ère où les gens veulent apprendre par l'EXEMPLE.

Nous recherchons TOUS l'authenticité et la sincérité.

La meilleure manière d'éveiller une personne est par l'exemple, par la concordance entre les paroles et les actions. Non par des paroles vides de sens. Comme l'a prôné avec tant d'intégrité le Mahatma Gandhi, si l'on désire réellement observer un changement s'effectuer, l'action la plus consciente à poser est d'incarner soi-même ce changement… Là réside la clé magique, la solution à l'équation !

Un client de Chantal affirme que, en intégrant les qualités du cœur dans sa vie, il est resté le même qu'auparavant, mais qu'il réalise être plus conscient, plus à l'aise d'exprimer ses sentiments. Mieux encore, il réussit maintenant à s'ouvrir et exposer sa vulnérabilité (au grand plaisir de sa femme qui en prend grand soin) !

Cet homme se reporte à cette partie de sa vie comme la période où il DORMAIT et s'est ÉVEILLÉ. Après introspection, il prit conscience des erreurs qu'il commettait et qui éloignaient sa femme de lui. Par exemple, dans SA perspective à l'époque, faire l'amour était la SEULE validation d'amour que sa femme lui donnait. Et comme il avait une bien piètre écoute, cela créait beaucoup de conflits entre eux.

Pire encore, il insistait pour faire l'amour avec une telle intensité que, même si elle n'en avait pas du tout envie, elle acceptait, car l'humeur de son mari en dépendait. S'il manquait de sexe, les enfants et elle « payaient » pour ce même manque. En coaching, elle avoua qu'elle se sentait utilisée sexuellement et qu'elle n'avait plus la force de lui exprimer. Ainsi, elle partit !

Dévasté par le départ de sa femme, cet homme décida d'entamer une démarche afin d'intégrer les principes de l'Amour SEXSHIP dans sa vie… son couple en dépendait !

En prêchant par l'exemple, en incarnant lui-même la solution, il a même influencé sa femme qui éprouvait plus de difficultés que lui à verbaliser. En quelques mois, elle s'est améliorée exponentiellement. Le niveau de satisfaction à vivre ensemble des deux amoureux est maintenant décuplé.

Capitaliser sur les qualités du cœur au sein du couple engendre une force motrice de changement extrêmement puissante…

Créer une relation avec les qualités du cœur

Notre point est celui-ci : avoir le courage de dévoiler sa vulnérabilité, de s'exprimer, et de s'améliorer avec enthousiasme et constance est une condition préalable au bonheur dans votre couple. En acceptant qui vous êtes (votre lumière ET votre ombre), et en étant clair sur ce que vous voulez vivre comme relation, vous augmentez exponentiellement vos chances de réussite amoureuse…

Si vous êtes amoureux, et que vous décidez de vous engager réellement, choisissez de contribuer au couple. Nous sommes responsables d'amener la paix, la joie, l'amitié dans la relation.

En conscience SEXSHIP, on pense au plaisir de l'autre AUTANT qu'au sien…

Le plaisir de l'un est complémentaire du plaisir de l'autre. Par exemple, quand l'homme est témoin du plaisir qu'il procure à sa femme. Parce qu'elle est réceptive, elle reçoit pleinement ce qu'il lui donne, et l'homme est satisfait de la contribution qu'il fait.

La satisfaction d'un partenaire est de se laisser combler, enivrer, par ce que l'autre donne. L'équilibre est en parfaite harmonie ! Une circulation des énergies YIN et YANG à travers l'échange d'amour et de plaisir nourrit les deux partenaires.

Les signes d'un échange de cœur

Les points de repère sont toujours présents et évidents, au lit et en dehors !

TOUT EST LÀ !

En observant votre partenaire, en posant des questions sans jugement, en respectant ses choix, vous apprendrez tout ce que vous devez savoir.

Au lit, prêtez attention à sa respiration, sa transpiration, ses mouvements, ses mots. Plus que tout, portez attention à toutes les parties de son corps qui vous parlent…

TOUT EST LÀ.

Vous recevez des intérêts grâce à vos investissements financiers. C'est la même chose avec votre couple.

Votre partenaire est une priorité « PRIORITAIRE ».

Faites-nous confiance, ça vous rapportera GROS ! La plupart des conflits prennent d'abord forme dans un couple où l'un des partenaires (ou les deux) ne prend pas soin de l'autre.

L'amour, c'est un peu comme la santé. Il faut malheureusement parfois le perdre pour comprendre que c'était la chose la plus PRÉCIEUSE dans notre vie. Quand on ne s'occupe pas de son amoureux ou de son amoureuse, on finit tôt ou tard par en payer le gros prix en le perdant. Si vous dormez, éveillez-vous. Il est encore temps. Mais agissez avant qu'il ne soit trop tard !

C'est souvent lorsque notre puits est à sec que l'on réalise à quel point on aimait l'eau qu'il nous donnait !

Fuyez les regrets et les remords, n'attendez pas d'en être rendu aux tristes *« j'aurais dû lui dire, j'aurais dû faire… »*

Agissez dès aujourd'hui, et comportez-vous avec votre partenaire comme vous souhaitez qu'il se comporte avec vous. De simples changements peuvent contribuer grandement à votre investissement.

Les petites attentions quotidiennes ont beaucoup plus d'impact à moyen et long terme que les grosses actions exceptionnelles.

Investissez en vous et votre couple, intégrez les qualités du cœur...

CHAPITRE 13

J'ai envie... elle a perdu son désir !

« Une femme m'attend, elle possède tout, rien ne lui manque. Mais tout manquerait si le sexe manquait. »
— WALT WHITEMAN

Dans sa nature, l'être humain est conçu pour faire l'amour. Tout part de là, la conception vient du sexe ! Évidemment, il est tout à fait normal que l'intensité initiale et la passion s'atténuent avec le temps, qu'elles se transforment en quelque chose de différent.

La loi de la familiarité influe sur tous les aspects de notre vie sans exception !

Mais que fait-on quand les *« chéri, j'ai mal à la tête »* ou les *« pas ce soir, mon amour, j'ai une grosse journée demain »* deviennent le langage quotidien des amoureux pendant de longues périodes de temps ?

Notez ici que les pannes de désir, bien qu'elles soient habituellement attribuées à la gent féminine, sont tout aussi présentes chez l'homme. Seulement, on en parle moins. Ainsi le chapitre aurait pu être baptisé : J'ai envie… IL a perdu son désir !

Toutefois, cette partie se veut un outil pour soutenir les hommes cherchant à développer de meilleures compétences sexuelles. Nous espérons que les femmes le percevront comme un CADEAU… pour elles. Or, les astuces partagées seront en majeure partie axées sur la perte du désir chez la femme… Gardez en tête qu'elles peuvent parfois être inversées, tout dépend des prédominances YIN et YANG chez les partenaires.

La différence majeure au lit entre monsieur et madame

Vous le savez, le point a été prouvé à maintes et maintes reprises, les hommes et les femmes sont fondamentalement différents et complémentaires ! Messieurs, il est impératif d'écouter ces sages paroles prononcées par l'écrivain français Henri Barte :

« La femme aime le sexe. Constat incongru pour les uns, sidérant pour les autres. »

Oui, vous avez bien lu…

Les femmes AIMENT LE SEXE !

Quand votre partenaire a perdu l'envie, quand le seul fait de tenter un rapprochement vous décourage, il est essentiel de vous tourner vers la compréhension de la différence majeure entre les hommes et les femmes au lit…

Au lit, les hommes sont des MICRO-ONDES et les femmes sont des POÊLES À BOIS !

Les hommes sont des micro-ondes, et les femmes des poêles à bois. Vous trouvez cela sensé, non ?

Pour les couples qui comprennent cette différence et qui « capitalisent » sur la compréhension et l'utilisation de cette dernière, le potentiel d'une vie sexuelle abondante et réussie est TRÈS élevé.

POURQUOI ? Rappelez-vous l'équation primaire de l'Amour SEXSHIP :

AMOUR SEXSHIP = COMPRÉHENSION + COMPASSION ⇢ AMOUR

TOUT commence par la compréhension des différences...

Le fait est que la capacité, la vitesse à se mettre en mode « sexuel » chez les hommes et les femmes sont très différentes. Réfléchissez un moment et comparez les deux utilitaires : le micro-ondes et le poêle à bois.

Tous deux sont utilisés pour générer de la chaleur. Par contre, un la produit très rapidement et moins longtemps, tandis que le second peut émaner pendant des heures, chauffer une maison entière même. Mais on doit s'assurer que le feu est bien allumé avant de la considérer en mode « combustion » !

Là réside la clé du dossier mystère au sujet des femmes jugées plus froides ou « moins chaudes » : la capacité à allumer le feu AU BON RYTHME...

Une des erreurs les plus répandues au lit est d'aborder son partenaire comme on souhaite être abordé. Paradoxalement, c'est souvent en utilisant une stratégie différente que nous réussissons à provoquer et former un brasier. Combien d'hommes, en bons micro-ondes qu'ils sont, tentent un rapprochement avec leur chérie très directement, en esquivant les préliminaires pour sauter rapidement aux attouchements.

Ils vont directement aux organes sexuels de la femme, après quelques minutes seulement, complètement excités, prêts à chauffer (parfois à éjaculer !).

Et c'est NORMAL.

Un four micro-ondes c'est plutôt simple à faire marcher, il ne suffit que d'appuyer sur le bouton démarrer et c'est parti, mon kiki. À l'opposé, un poêle à bois, c'est plus long à enflammer, mais ça reste chaud longtemps, très longtemps!

Rien ne réchauffera davantage une femme que de tourner autour du pot, encore et encore, sans toucher à son sexe! Si vous précipitez les choses, elle se sentira brusquée et bousculée… Ce qui, avouons-le, ne constitue pas des conditions idéales pour s'exciter!

Dans une perspective féminine, imaginez tenter d'allumer un poêle à bois en y jetant une grosse bûche et un paquet d'allumettes tout en espérant que le feu prenne… Les chances sont très minces, voire plutôt nulles! Pour attiser une flamme dans un poêle à bois, on doit y aller progressivement… En fait, il y a trois étapes à respecter pour y arriver!

Les TROIS étapes pour allumer le feu

1. Nettoyez l'environnement

La toute première chose à faire pour démarrer un feu, c'est d'abord et avant tout de prendre **LA** décision qui changera votre vie au lit: **devenir un meilleur amant pour votre femme**. Il faut vous assurer que l'environnement est ACCUEILLANT pour la flamme. Vous assurer qu'il n'y a pas de cendres et de déchets…

Il est très difficile d'allumer votre partenaire si des cendres émotionnelles l'habitent.

Nombre d'outils vous ont été proposés pour ventiler votre amoureuse. À présent, votre mission est d'utiliser ces outils pour nettoyer le terrain et créer une connexion avant d'essayer de provoquer un brasier! Si des conflits sont présents et restent non réglés dans votre couple, ils agiront comme de l'eau que l'on jette sur un feu naissant... Ce sera un éteignoir à coup sûr !

Vous voulez plus de sexe ? Régler les conflits sans tarder !

2. *Prenez votre temps*

Faire l'amour, tout comme allumer un feu, ça se prépare ! C'est vrai, les flammes prennent plus rapidement au début, quand l'attirance est si intense qu'elle peut être comparée à de l'essence aspergée généreusement sur le feu. Mais règle générale, après des années ensemble, vous pouvez atteindre le MÊME niveau d'intensité au lit, parfois même beaucoup plus (vos corps se connaissant mieux). Cependant, ça prend un peu plus de temps, d'où l'importance de le PRENDRE !

Chantal répète régulièrement à ses clients hommes que, pour faire l'amour le samedi, il est intelligent de commencer à préparer le terrain le jeudi matin ! Bon, ça fait long, direz-vous. En fait, tout dépend de votre perception... Reste que, basé sur les résultats observés, ça rapporte beaucoup !

Si vous êtes en mesure de percevoir le sexe comme un jeu entre deux personnes qui s'aiment, alors la dynamique se transforme progressivement et chaque action se révèle un élément contribuant à s'amuser et à s'exciter dans le processus...

Trop d'hommes perçoivent le sexe comme une finalité et se privent d'un grand plaisir, celui des préliminaires...

Apprenez à prendre votre temps et à mettre en place les éléments qui assureront votre succès. Quand on désire allumer un feu, après avoir nettoyé l'environnement, on doit ensuite y aller petit à petit. Comme vous le feriez en empilant de petits matériaux combustibles avant de mettre les « grosses bûches », développez l'habitude de préparer le terrain pour qu'il soit propice au sexe. Comment ?

Facile !

Vous avez envie de sexe, commencez par faire l'amour en dehors du lit, tout habillés !

Non, ce n'est pas une nouvelle pratique à la mode dans une destination tendance, allons ! Par « faire l'amour en dehors du lit », nous entendons ici de préparer le terrain, de faire l'amour avec de petits gestes et de délicates attentions qui contribueront à l'inflammation dès le départ. Chacun de vos touchers non sexuels est en fait des investissements énergétiques, des dépôts dans le compte « sensualité » de votre amoureuse, ce qui lui donne le goût de vous !

Démontrez votre intérêt à votre chérie à différents niveaux… autres que son sexe. Bien sûr, vous l'aimez pour plusieurs raisons. Mais avec le temps, il est triste de constater que trop de partenaires négligent de préparer le terrain, et se demandent ensuite pourquoi le feu ne prend plus comme avant…

Soyez disponible pour votre chérie, allégez-lui la vie, écoutez-la et aidez-la à ventiler ses émotions. Encouragez-la à prendre soin d'elle. Jouez au détective plus souvent et validez ce qui lui fait plaisir, ce qui l'éveille, ce qui la stimule, ce qui l'excite.

Amorcez la conversation sur le plaisir. Avant de s'en DONNER, on peut s'en PARLER !

Plus vous miserez sur les qualités du cœur et sur votre qualité de présence (du combustible hautement inflammable), plus votre chérie aura envie que vous insériez votre grosse bûche bien dure dans son poêle !

Messieurs, prenez votre temps, soyez présents de corps et d'esprit. Les femmes ont besoin de stimulations intellectuelles avant les stimulations sexuelles... Rappelez-vous comment circule l'énergie sexuelle de la femme :

TÊTE ➻ CŒUR ➻ SEXE

3. Alimentez le feu

Au départ, la vie sexuelle peut être comparée à un incendie de forêt (particulièrement si la chimie est très présente)... Un véritable brasier amoureux où sont consumés amour et plaisir, passion et désir !

Puis, avec le temps, les mois (voire les années), l'intensité du feu peut s'estomper.

La relation se transforme.

À cette étape de leur évolution amoureuse, les partenaires doivent maintenant ALIMENTER le feu qui brûlait de lui-même. Si la flamme n'est pas entretenue, elle finira par faiblir et s'amoindrir en lit de braises...

C'est infiniment triste et beaucoup trop courant d'entendre des confidences du genre : « Je l'aime encore, mais je ne me sens plus AMOUREUX ! »

Réalisez que vous êtes tous deux responsables du succès ou de l'échec de votre union. Vous voulez que votre feu amoureux dure longtemps ? Très longtemps ?

Alors, alimentez-le régulièrement à tous les niveaux. Voilà l'essentiel !

Plusieurs se demandent pourquoi la relation diminue en intensité avec les années. C'est simple, parce que les hormones qui flottaient naturellement au début (une partie de la chimie), sont maintenant «expirées». Et les partenaires ont cessé de pratiquer ce qui fonctionnait au départ. Ils sont à la croisée des chemins où le feu sacré doit être rallumé et entretenu.

Vous désirez retomber «EN AMOUR» avec votre partenaire ?

Alors, recommencez à faire ce que vous faisiez pendant la période où vous vous êtes rencontrés. Vous savez, ces moments de charme et de séduction où vous faisiez de longues marches romantiques en vous tenant par la main, où vous mangiez au restaurant, où faire l'amour était une CÉLÉBRATION, où la télé restait fermée, car vous discutiez et appreniez à vous connaître ?

Tous ces petits gestes, aussi subtils soient-ils, pompent de l'ocytocine dans le corps. Recommencez à faire ce qui fonctionnait, ça fonctionnera encore… Le simple geste de prendre la main de votre amoureuse en marchant stimulera son ocytocine.

LÀ réside le secret !

Si vous n'entretenez pas le feu de votre amour, il se terminera inévitablement en lit de braises. C'est la différence entre aimer et « ÊTRE EN AMOUR » !

À travers ce livre, nous vous avons partagé un éventail de stratégies, de bûches pour nourrir votre feu amoureux. Maintenant, c'est à vous de jouer ! Au bout du compte, faire l'amour génère plus d'amour. Le sexe produit de l'ocytocine, l'hormone qui donne le goût de le faire et le refaire...

Vous avez bien lu : **plus on fait l'amour, plus on en veut.**

Rappelez-vous seulement que la femme est de nature YIN, plus lente que l'homme à se réchauffer...

DONNEZ-LUI LE TEMPS DE SE METTRE DEDANS!!!

Une fois cette vérité fondamentale intégrée à votre réalité, vous serez préparés à réussir votre vie au lit...

L'homme est comme un four micro-ondes (rapide et puissant); la femme, quant à elle, est comme un poêle à bois (lent qui dure longtemps)!

Nettoyez le terrain, prenez votre temps, et alimentez le feu...

Messieurs, apprenez à devenir de meilleurs amants. Vous réaliserez rapidement que c'est un investissement qui rapporte beaucoup plus que vous ne pouvez l'imaginer!

CHAPITRE 14

Le SEXE... Réussir sa vie au lit

« Le sexe n'est pas une réponse. Le sexe est une question.
Et la réponse est : OUI ! »
— STEVE MARTIN

Ah le sexe, le sexe, le sexe, le sexe... comme c'est IMPORTANT !

La sexualité est un des points majeurs qui touchent l'humanité entière. Nous rêvons pratiquement tous d'une vie sexuelle épanouie et réussie !

Statistiquement parlant, les hommes pensent au sexe plus de 80 % du temps, même complètement épuisés ! De son côté, si elle est en pleine forme, la femme y pensera plus de 60 % du temps.

Comme le disait si bien le grand sage et poète, Jiddu Krishnamurti : « *Le sexe occupe autant nos pensées, car il est l'échappatoire suprême. C'est la voie ultime vers l'oubli de soi absolu.* »

Le sexe est comme l'air qu'on respire : ça semble parfois moins important jusqu'à ce qu'il n'y en ait plus !

L'érotisme, la passion, la sensualité, et la romance au lit font partie inhérente du succès d'un couple heureux à long terme. Lorsque cette partie est manquante, la solidité du couple en est grandement affaiblie. Selon notre expérience, les couples qui reviennent ensemble après une séparation ont tous un point en commun :

Une vie érotique INTENSE et VIVANTE… même après des années ensemble. Étonnant, n'est-ce pas ?

En se basant sur l'équation du bonheur en amour, on peut supposer que si la chimie et la vie sexuelle sont en santé et qu'un degré minimum de compatibilité et de complémentarité est établi, il ne reste qu'à travailler sur le plan de la communication. **Et comme on communique dans la vie, on peut apprendre à communiquer au lit !**

Le musicien Dave Hill disait que : « *Le sexe est comme le swing au golf : vous ne pouvez pas réfléchir à votre façon de faire au moment où vous le faites.* » D'où l'importance d'en parler AVANT de consumer ! Décortiquons par étapes…

Le « timing »

Ça vous est déjà arrivé de vivre un rejet sexuel de votre partenaire qui pourtant vous aimait ? Parions que oui !

De toutes les hypothèses probables, une des raisons les plus communes est un manquement à favoriser la réceptivité, à négliger le « timing » !

Si vous avez envie de faire l'amour dans un avenir rapproché, il vous est impératif d'apprendre à générer des opportunités en préparant le terrain, en maximisant le « timing ». Ici, il est davantage question de CRÉER et FAVORISER des occasions favorables, plutôt que de les attendre désespérément !

Au cœur de votre cerveau se situe une petite partie du système limbique se nommant AMYGDALE. Cette même partie est impliquée dans la reconnaissance et l'évaluation de la «valeur émotionnelle» des stimuli sensoriels (en particulier le plaisir, la peur et l'anxiété). C'est elle qui détermine les mémoires qui seront sélectionnées, et où elles seront enregistrées dans le cerveau. Ce processus de classification est déterminé par l'intensité émotionnelle ressentie lors d'un événement donné.

En le simplifiant au maximum, elle génère parfois des ancrages neurologiques entre stimuli et émotions. Pour la comparer, l'amygdale fonctionne comme un système qui évalue le niveau de danger, et alerte quand il y a nécessité. Telle une jauge, elle mesure, calcule, et informe le cerveau (puis le corps), sur le niveau de stress présent et ressenti dans l'organisme.

Un des secrets pour préparer votre femme à l'amour, pour favoriser son ouverture et sa réceptivité, c'est de vous occuper de son amygdale!

Voyez à ce qu'elle se libère de son stress (peur), qu'elle relaxe et prenne soin d'elle au maximum! En agissant ainsi, elle se sentira connectée et en sécurité, et son niveau de cortisol (de stress) diminuera de façon révélatrice!

En résumé: Messieurs, si vous voulez davantage de sexe, apprenez à créer le «parfait timing». Préparez le terrain (ou le souper!), et prenez soin de votre chérie…

Voici un exemple illustrant le «AVANT SEXSHIP»

C'est l'heure du souper, les enfants courent partout dans la maison, leurs devoirs ne sont pas terminés. Elle est à la cuisine, occupée à terminer le repas… les pâtes ont collé et le chien a fait un dégât sur le tapis. Vous rentrez du bureau, la voyez dans sa robe rouge qui vous allume, et ressentez un désir instantané. Vous n'avez qu'une idée en tête :

Vous rapprocher !

Vous vous aventurez, vous la collez, et vous lui faites une proposition osée : « *Qu'en dis-tu si on monte à la chambre quelques minutes ?* » Et elle réagit comme si vous veniez de lui annoncer que vous aviez PERDU VOTRE EMPLOI ! « *Tu ne vois pas que je suis dépassée, rien ne va plus ! Non !* »

Rejet BRUTAL, n'est-ce pas ?

Voici le scénario SEXSHIP

Mise en scène identique. Vous la voyez, et amorcez maladroitement votre manège… Mais plutôt que de vous rejeter, elle prend une grande respiration, se calme, et agit en déesse :

« *Chéri, j'ADORE sentir que tu me désires, moi aussi ça me plairait. Voici ce que je te propose. Occupe-toi de faire manger les enfants et de les laver. Pendant ce temps-là, je relaxe et me prépare pour toi… Quand ils seront couchés, ce sera TON (NOTRE) tour !* »

Que vient-il de se passer ? Les enfants passent du temps avec papa. Maman prend soin d'elle. Et papa sait qu'il sera chanceux ce soir ! TOUS y gagnent, et madame se sent appréciée. Les femmes ont toutes un besoin de se sentir appréciées ! Souvenez-vous de cela, messieurs…

Quand maman est contente…, tout le monde est content !

Les préliminaires

Vous le savez maintenant, la femme, en raison de sa nature plus YIN (le poêle à bois) est généralement plus lente à réchauffer que vous, monsieur le YANG! Pour réussir à se rencontrer et connecter, il est fort utile de développer certaines compétences, dont une en particulier…

Monsieur, apprenez à ressentir et accueillir le RYTHME de votre femme.

En vous réchauffant plus rapidement que votre chérie, il est facile de vous emballer et de perdre la connexion avec celle-ci. La raison en est simple : vous êtes complètement absorbé par votre haut degré d'excitation. Et c'est fantastique, vous désirez votre femme et elle le SENT! Seulement, c'est doublement plus agréable quand c'est partagé… À DEUX!

Portez votre attention sur votre chérie (du moins, davantage jusqu'à ce que le feu soit bien pris et enflammé dans le poêle). Laissez-lui le temps de se «mettre dedans», de brûler. Rappelez-vous qu'elle est sur le point de vous accueillir en elle… Donnez-lui le temps de s'ouvrir à tous les niveaux…

L'attention de madame est diffuse, elle est programmée pour voir en simultanée tout ce qu'il y a à faire dans sa journée et sa semaine. Si vous voulez l'inviter à se concentrer davantage sur l'amour au lit, commencez par l'aider en la soutenant dans sa vie!

Plus elle aura l'esprit libre, plus elle se sentira épaulée, plus elle créera de la sérotonine (une des hormones qui produisent un effet de bien-être dans le corps). En se sentant bien, elle sera plus ouverte et prédisposée à vous, et à l'amour…

Étonnamment, selon les docteurs Pat Allen et John Gray, la partie du cerveau qui alimente l'inquiétude chez l'humain, l'amygdale, est jusqu'à 8 fois plus irriguée de sang chez la femme que chez l'homme! Ne cherchez pas plus loin, si les femmes sont généralement plus soucieuses que les hommes, c'est en en grande partie attribuable à cette cause anatomique.

Génétiquement parlant, elles ont plus de facilité à percevoir tout ce qu'il y a à faire et à s'inquiéter que ce soit fait! Sans communication adéquate entre les amoureux, le sexe peut devenir pour madame une tâche de plus à accomplir, un souci supplémentaire...

Certaines femmes ne considèrent pas le sexe comme une priorité. Au contraire, elles le perçoivent plutôt comme une préoccupation, un souci supplémentaire à gérer. Elles n'en jouissent pas!

La Dᵉ Felice Dunas, auteure du livre *Passion Play* évoque que les femmes peuvent avoir, en moyenne, besoin d'une période d'environ 45 minutes d'attouchements langoureux pour vibrer à leur plus haut niveau et atteindre leur climax, ce moment le plus intense!

Voici la bonne nouvelle:

Si elle connaît bien son corps (et que vous l'aidez à le connaître encore mieux), vous apprendrez ensemble des façons d'atteindre l'extase plus intensément et rapidement avec le temps... Elle vous enseignera comment!

Mesdames, rappelez-vous que bien que les hommes n'apprécient guère de se faire diriger en voiture (ils préfèrent se débrouiller et démontrer leur virilité!), mais ils aiment se faire guider au lit!

Au lit, les hommes adorent se faire montrer le chemin qui vous permettra l'extase. Montrez-le-lui!

Guidez votre homme. Accordez-vous le temps nécessaire pour vous réchauffer et laisser monter l'énergie d'amour sexuel qui vous enivre. Plus vous serez alignés sur le même rythme à deux (peu importe qu'il soit rapide ou lent sur le moment), plus votre CHI circulera entre vous et se modulera progressivement sur une fréquence de plaisir intensifié. Vous amplifierez naturellement la connexion entre vous, et atteindrez des sommets d'excitation, de jouissance et de libération SPECTACULAIRES…

Les femmes sont de véritables mines d'or de sensibilité sexuelle. Il n'y a pratiquement pas un centimètre carré qui n'ait de potentiel érotique! Savourez le processus en entier, et suivez d'abord le rythme de madame. Comme l'explique si bien David en conférence:

« Il faut Ralentir pour Réussir! »

Le truc du toucher

Monsieur, vous rêvez d'avoir davantage de sexe avec votre chérie? Voici une équation qui, si elle est bien utilisée et respectée, vous permettra d'ouvrir la porte sacrée du sanctuaire des sanctuaires:

Touchers non sexuels = Possibilité de DÉSIR SEXUEL

Cessez de tout brusquer!

Prenez votre temps et vivez intensément le moment présent. Vous avez envie de votre femme, de faire l'amour? Vous le savez maintenant, les préliminaires commencent bien avant le premier toucher ou le premier baiser. Le processus sera toujours accéléré et simplifié si vous préparez d'abord votre chérie…

Le grand séducteur Giacomo Casanova l'expliquait merveilleusement bien: *« Il n'y a pas de femme au monde qui peut résister aux soins assidus et à toutes les attentions d'un homme qui veut la rendre amoureuse. »*

Si Casanova lui-même le dit, c'est que ça doit être vrai !

Le meilleur truc qui soit pour stimuler votre partenaire à la sexualité, c'est d'abord de la toucher de manière NON sexuelle ! Remarquez ici qu'un toucher non sexuel est aussi une forme de communication.

Parler, c'est toucher avec les mots !

Les touchers non sexuels permettent à la femme de produire de l'ocytocine, ce qui génère émotionnellement de l'attachement. Et qui dit attachement, dit DÉSIR !

Henry Bataille disait qu'*« il y a deux manières de prendre une femme : par la taille et par les sentiments. »*

Ne mettez pas la charrue devant les bœufs. Avant d'y aller par la taille, commencez par les sentiments !

Les femmes ont un besoin fondamental de sécurité. La vie étant magnifiquement orchestrée, une des meilleures façons de rassurer une personne et de garantir qu'elle se sente en sécurité, c'est par le toucher. Quand une femme est touchée par une personne en qui elle a confiance, le geste agit littéralement comme une « mise à la terre, un *ground* » !

Madame est génétiquement disposée à faire plaisir… Et faire plaisir dirige généralement l'attention vers l'extérieur. En la touchant tendrement, vous la rassurez et l'encouragez à se reconnecter à elle-même. Elle ressent mieux et davantage son corps, son monde intérieur. En étant plus présente à elle-même, elle sera inévitablement plus présente et disponible pour VOUS !

Faites-lui un petit massage, touchez-la affectueusement, caressez délicatement sa peau, laissez balader tendrement votre main dans ses cheveux. Démontrez-lui que vous l'aimez. Plus que tout, prenez soin de votre femme sans lui faire subir la moindre pression indirecte (par exemple : je prends soin de toi, je suis conscient que j'investis dans notre relation, je m'attends à ce que tu prennes soin de moi en retour), ça gâcherait la sauce. Aidez-la plutôt à se détendre et se laisser aller.

Plus vous agirez avec l'intention de donner, sans attente, plus ce que vous faites vous reviendra rapidement !

En amour, donnez de manière détachée ce que vous souhaitez recevoir...

Madame, aidez-le à vous aimer MIEUX !

Évidemment, il est possible et courant que notre partenaire n'aime pas nécessairement recevoir la même chose que nous ! Madame, de votre côté, investissez sur votre amour, donnez un coup de main à votre bien-aimé. Montrez-lui ce dont vous avez besoin, ce qui vous rendra heureuse... Les hommes ne sont pas vraiment de grands spécialistes pour deviner !

Aidez-le à mieux vous aimer, à vous aider à relâcher les tensions, à respirer et relaxer. Enseignez à votre chéri votre rythme de séduction, ce qui vous fait du bien. Montrez-lui comment faire, à quelle vitesse, à quel moment de la journée, et laissez-lui la chance de pratiquer. Cette discussion à elle seule sera des plus stimulantes et plaisantes !

Restez toujours sincère et vraie. Mais si vous aimez être touchée par votre partenaire, signalez-le-lui ! Faites du bruit s'il le faut, dites-le-lui, faites-lui savoir clairement et sensuellement que vous aimez ses attentions.

Les hommes ont en eux un instinct de chasseur, ils aiment que ce soit clair. Même s'ils ne demandent pas de mode d'emploi, au lit, ils aiment qu'on leur indique comment faire! À partir du moment où monsieur saura comment vous faire plaisir, spécialement dans la chambre à coucher, soyez assurée qu'il recommencera encore et encore.

C'est GARANTI!

Monsieur, votre mission (si toutefois vous l'acceptez), est de comprendre ce que vous devez faire, dire, et être pour que votre partenaire soit plus réceptive à vos avances. Ce processus ne peut être brusqué, au contraire, il doit être respecté. Misez plutôt sur cette vérité:

Plus vous comprendrez votre chérie, plus vous augmenterez vos chances de succès au lit!

Demandez-lui sa rétroaction. Lorsqu'elle vous exprime ce qui la stimule… FAITES-LE! Vous êtes expert en résolution de problèmes et maîtrisez votre «focus», alors aidez votre chérie avant même d'aller au lit. Découvrez ce qui fonctionne avec elle et à quels moments de la journée ça fonctionne le mieux… Et pratiquez!

Chères femmes, vous êtes dans votre essence lorsque vous restez ouvertes. Cette ouverture est naturelle et essentielle à votre épanouissement. Restez donc ouvertes aux tentatives de votre homme de connecter avec vous. Il sera peut-être maladroit, mais accordez-lui tout de même du mérite et des points pour ses efforts.

Rappelez-vous toujours que votre homme adore vous toucher. Plus encore, **il adore que vous le laissiez vous toucher**. Bien peu de choses sur cette terre combleront autant un homme que la femme qu'il aime et qui fond dans ses bras!

Pour plusieurs hommes, l'acte intime est un des seuls moments où ils habitent et ressentent vraiment leur corps et leurs émotions. Gardez en tête que votre homme éprouve de la fierté à vous faire plaisir. Plus un homme ressent qu'il SATISFAIT sa femme, plus il considère avoir du succès dans la vie. C'est intimement relié !

Utilisez votre pouvoir de déesse avec sagesse et humilité. Le moment de jouir est arrivé…

Pratiquez, pratiquez, et pratiquez encore !

Peu importe ce que vous désirez développer comme capacité et talent, un temps de transition est toujours nécessaire pour l'intégrer. Ce processus porte le nom de COURBE D'APPRENTISSAGE.

En quelques mots, vous apprenez la sagesse !

C'est très paradoxal mais, dans la vie comme au lit, la sagesse est issue de l'expérience, et l'expérience est le fruit de nombreux essais. La même chose est vraie en amour ! Un postulat PNL prône qu'il n'y a pas d'erreurs, seulement que du «feedback». Ainsi, sur la route du désir et de l'amour physique, il est possible que votre réussite ne soit pas instantanée, et c'est normal.

Jusqu'à ce que vous puissiez crier «SUCCÈS!!!» haut et fort, voici une possibilité à explorer :

Offrez à votre partenaire la chance de pratiquer une nouvelle façon de faire environ cinq fois avant de décider si vous aimez cette pratique, ou non ! Peut-être que la première et la deuxième fois seront peu concluantes, mais que la quatrième et la cinquième seront magiques. Restez conscient que vous êtes un «apprentissage»… Soyez patient !

La Sensualité

Ça y est, le poêle chauffe, madame est allumée ! Il est maintenant possible de faire monter la flamme en intensité et de transformer le feu en brasier… Pour ce, il suffit de faire preuve d'un peu de sensualité !

La sensualité, c'est l'art d'utiliser les plaisirs des sens. Si nous avions à la comparer, la sensualité au lit est très comparable à l'acte de cuisiner ! On a une idée de recette (dans ce cas-ci, le plaisir), on utilise certains ingrédients (les baisers, caresses, touchers, paroles, accessoires, etc.), puis on déguste non seulement le résultat, mais tout le processus !

Certains préfèrent les repas congelés vite fait, d'autres la fine gastronomie, c'est une question de choix !

Tenez-vous-le pour dit :

Qui dit sensualité, dit non seulement PLAISIR au lit, mais aussi hors du lit !

Une des manières les plus efficaces de révolutionner votre vie sexuelle, c'est sans conteste de miser sur la sensualité. Si vous vous considérez comme une personne plus ou moins sensuelle, cherchez sans tarder à découvrir ce qui vous stimule sensuellement et qui éveille vos sens pour le pratiquer. Misez sur une activité qui vous permettra de développer et ressentir davantage vos sens, quitte à vous faire perdre la notion du temps en vous ramenant directement au moment présent.

Nombreuses sont les occasions de développer votre sensualité, ne serait-ce que par le dessin, la danse, la photographie, la méditation, la cuisine, entre autres.

Plus vous serez connectés, plus vous serez en mesure d'utiliser vos 5 sens et ceux de votre partenaire pour vous exciter! Bref, explorer votre sensualité à deux rapproche énormément un couple. C'est un puissant catalyseur pour améliorer votre sexualité… Faites preuve d'originalité, votre vie en sera transformée!

Messieurs, c'est l'heure de sortir votre homme des cavernes!

Vous avez bien lu. Absolument! Au lit, vient un moment où vous pouvez sortir votre homme des cavernes de sa grotte… et le laisser prendre les commandes!

Selon notre expérience, nous n'avons jamais rencontré une femme qui n'aimait pas se faire «prendre» à l'occasion par son homme. Notez ici que chaque femme a sa propre définition du terme «prendre». Dans tous les cas, un point revient pratiquement tout le temps:

C'est l'homme qui prend le CONTRÔLE!

Dans notre société moderne, c'est tout un défi d'être un homme! Les contradictions fusent de partout:

Sois rose… mais pas trop!

Sois sensible… mais reste macho!

Sois à l'écoute… mais fais preuve de caractère!

En chaque homme se cache un HÉROS. Permettez-lui d'émerger…

Messieurs, faites-vous confiance, prenez votre place… c'est la VÔTRE!

Ainsi, viendra un moment où ce sera le temps, le «bon moment» pour monsieur de sortir la bête en lui, le «Indiana Jones de la couchette»! Sur ce point, une seule chose reste primordiale:

Il faut que ce soit plaisant autant pour les DEUX PARTIES…

Explorez. Amusez-vous! Permettez à votre femme de canaliser et de diriger votre poussée de virilité dans la bonne direction, d'une façon qui l'excitera autant, sinon plus que vous! Peut-être qu'elle préfère que vous preniez complètement le contrôle? Parfait, vous le découvrirez bien assez tôt! Peut-être qu'elle est plus excitée avec telle ou telle position? Fantastique, laissez-la vous l'enseigner. Mais surtout, encouragez-la à vous le dire, à exprimer ce qui la fait vibrer. Puis donnez-lui ce qu'elle demande… Pratiquez, pratiquez, et pratiquez!

Au lit, même débordant de testostérone, restez l'élève de votre femme… Vous deviendrez son héros!

Le petit côté «cochon» de l'histoire

Cousin du désir, il existe en chacun de nous une partie grivoise, un petit côté «cochon»! Chez certaines personnes, c'est très présent, tandis que chez d'autres, c'est plutôt discret. Chose certaine, nous avons tous ce petit côté en nous. Cependant, il s'exprime à différents niveaux et divers degrés d'intensité…

Au sein d'un couple qui s'aime, il est essentiel que cette partie ne soit pas négligée, qu'on la RECON-NAISSE.

Elle est normale, mais surtout nécessaire à l'équilibre sexuel.

Comme amants, une de vos responsabilités est d'en PARLER! Vous vous souvenez du chapitre sur le célibat, où l'on vous recommande de dire la vérité? Sexuellement parlant, c'est essentiel à votre évolution de partager et communiquer ce qui vous allume. Les «non-dits» concernant vos désirs sexuels réprimés se transformeront un jour ou l'autre en bombes à retardement qui risquent d'exploser au mauvais moment!

Même si vous êtes parfois gênés, il est impératif d'engager la conversation sur ce thème de prédilection pour votre vie de couple… Vous serez agréablement surpris, c'est promis!

Par la suite, si tout se passe dans le respect et le plaisir des deux parties, ça ajoutera assurément du piquant à votre relation et relancera sans aucun doute l'engouement des débuts! Qui sait? Peut-être même un NOUVEAU début! De plus, il est plus que probable que madame découvre des côtés d'elle qui, jusque-là, étaient demeurés encore inexplorés!

Restez simplement ouverts à l'ultime vérité que tout est en constante évolution, y compris votre vie sexuelle!

À ce jour, nous n'avons jamais rencontré non plus un homme qui n'aimait pas amener de la fantaisie au lit. Les hommes ADORENT que les femmes aient du plaisir, d'une façon ou d'une autre…

Mesdames, restez ouvertes!

C'est d'ailleurs un des fondements de l'Amour SEXSHIP: l'homme est grandement stimulé quand il voit le plaisir ressenti par sa femme. L'excitation circule librement entre les partenaires et madame se laisse envahir par le plaisir qu'il lui apporte. Elle perd ses inhibitions, s'ouvre et se transforme en tigresse. Érotique et sensuelle, elle ne désire maintenant qu'une seule chose:

SE FAIRE PRENDRE PAR SON HOMME!!!

Dire la vérité sur ce qu'on ressent vraiment est l'une des meilleures façons de s'exciter. C'est autant, sinon tout aussi puissant au lit que dans la vie! Reconnaissez et assumez votre petit côté cochon, il est présent pour servir et alimenter la flamme sous la couette…

Les petites vites, l'exploration et le porno…

Plusieurs spécialistes et sexologues tiennent des discours allant d'un extrême à l'autre quand on évoque ces sujets de choix. Quant à nous, la réponse est OUI! OUI, il y a de la place pour les petites vites, l'exploration et le porno au sein du couple… Nous sommes au 21e siècle!

On ne se le cachera pas, les hommes ADORENT les petites vites!

Mesdames, vous voulez que votre homme vous fasse l'amour longtemps et langoureusement?

Alors, offrez-lui des petites vites de temps en temps…

Gardez simplement en tête que, peu importe ce que vous souhaitez explorer et essayer, **la règle d'or est que les deux parties soient également ouvertes et volontaires.** Les deux amoureux doivent être d'accord sur le fait qu'ils en ont envie, et que l'expérience les inspire! Si les deux «tripent», oui!

Toutefois, dans le but de bien aborder les deux côtés de la médaille, soyez conscients qu'il est parfois préférable que certains fantasmes restent au stade du fantasme. Une fois le plaisir consommé, on ne peut revenir en arrière. Il faut affronter la réalité…

Au sujet de la pornographie, soyez également conscients que, comme l'écrivait l'auteure australienne Nikki Gemmel: «*Le porno enlève au sexe le mystère, la révérence et la transcendance.*» Ainsi, abuser de quoi que ce soit dans la vie, ce n'est pas toujours la meilleure chose à faire !

Trop épicer fait en sorte qu'on ne goûte plus la véritable saveur de l'aliment…

En finale, notre meilleure recommandation est de vous encourager à explorer dans les limites de ce qui vous excite, et de vous laisser la chance de développer vos préférences. Dans le pire des cas, si vous n'aimez pas telle ou telle pratique, ne recommencez pas ! Au mieux, vous aurez découvert une nouvelle façon de vous amuser ! Vous avez tout à gagner de vous laisser aller et d'expérimenter pour augmenter l'intensité de vos ébats.

Le BONUS du « SEXE FIZZ »

« Qu'est-ce qu'un SEXE FIZZ ? », vous demandez-vous avec curiosité !

Un « SEXE FIZZ » est selon notre définition SEXSHIP, ce qui se produit lorsque les deux partenaires ont atteint un état de satisfaction sexuelle complet et total, quand il y a littéralement un trop-plein, un « pétillement » d'énergie…

Croyez-le ou non, l'énergie générée pendant l'acte d'intimité peut littéralement être accumulée, il est possible de l'emmagasiner ! Cette énergie est absorbée par notre système nerveux et nos différents organes. Vous avez bien lu, il est possible de se créer des réserves d'énergie grâce à une sexualité épanouie dans l'amour, car elle nourrit !

Vous avez peut-être déjà vécu une relation où votre communication sexuelle était claire, normale et bien établie. Une relation lors de laquelle vous connaissiez si bien votre partenaire que le sexe était facile et naturel, où la mécanique fonctionnait à merveille, baignant dans l'amour !

Pensez à un moment où vous avez eu une séance d'amour particulièrement intense. Parions qu'il vous est déjà arrivé de ressentir un «SEXE FIZZ», d'avoir vécu un échange tellement bon, soutenu et nourrissant, que vous étiez envahi par la sensation agréable d'avoir l'impression de flotter sur un nuage. Vous étiez complètement comblés, dans un état de béatitude et d'amour pour tout ! Rassurez-vous, si ça ne vous est pas encore arrivé, en suivant les indications de ce chapitre, ça ne saurait tarder !

Comme le sexe est une énergie, et que l'énergie se dirige instinctivement où elle servira le corps au mieux de ses capacités, elle nourrira les organes et les revitalisera d'énergie nerveuse. Pensez à l'état d'être qui vous habitait juste après l'extase, et souvent même plusieurs heures plus tard dans la journée.

L'énergie avait été emmagasinée ! Vous saisissez ?

Nous réagissons tous de façon différente à ce «pétillement intérieur». Un point commun est que cette énergie stimule grandement la créativité et l'action !

FAIRE L'AMOUR = SURPLUS D'ÉNERGIE = AUGMENTATION DE PRODUCTIVITÉ !

L'énergie sexuelle est d'une telle force que, lors de l'orgasme, on perd notre sens de l'individualité. **Nous ne faisons qu'un sur le plan électromagnétique**. Nous libérons des hormones telles que l'ocytocine qui perdure longtemps après les étreintes. Nous devenons à ce moment UN avec notre amoureux. Et qui dit UN, dit retour à la source, la partie la plus sacrée, la plus pure en nous. On retourne d'où l'on vient, où TOUT est pure joie, pur amour, pure paix. C'est un endroit où l'on voudra toujours retourner.

Une vérité peu connue est que, pour bon nombre d'hommes, faire l'amour est l'un des seuls véritables moments où ils peuvent se laisser aller, sortir de leur mental, et ressentir leur corps, leurs émotions! Faire l'amour est bien souvent un des seuls moments où monsieur atteindra un état de paix et connectera avec son monde intérieur!

Beaucoup de femmes ignorent aussi que, c'est pendant l'acte qu'un homme ressent dans son cœur (émotionnellement parlant), l'amour qu'il éprouve pour sa femme… Ça le rend encore plus aimant. **Bref, c'est l'instant où il se sent le plus amoureux de VOUS**. La nature de l'orgasme amène naturellement l'énergie dans le cœur. À cet instant, le mental de monsieur peut finalement se calmer…

Étonnant n'est-ce pas?

Faire l'amour fait plus d'amour

Faire l'amour est bon pour vous!

Dans votre lit, comme dans votre vie. N'oubliez jamais que faire l'amour avec amour est l'une des meilleures expériences que vous puissiez pratiquer sur une base régulière!

Cette connexion augmente votre niveau d'hormones de rajeunissement, équilibre votre système sympathique et parasympathique, calme votre mental et votre système nerveux… Et ça vous rend tout simplement plus aimant! Eh oui, comblé au lit, vous devenez naturellement plus aimant dans votre vie, avec les gens autour de vous, votre famille, vos collègues, votre patron, vos enfants…

Faire l'amour fréquemment baigne votre corps dans une huile miraculeuse qui facilite le reste de votre existence. Faire l'amour crée de l'amour partout! Faire l'amour nourrit, réconforte et élève l'esprit. En faisant l'amour régulièrement, vous contractez une importante assurance bonheur à long terme.

D^re Felice Dunas dit : « *Le sexe sauvage, au naturel, conduit à une grande paix. La grande paix crée une profonde sagesse. La profonde sagesse révèle la vérité absolue. De la vérité absolue émerge l'amour fluide. Et l'amour fluide inspire le sexe sauvage…* »

Mettez du feu dans la cheminée, qui sait, ça pourrait vous illuminer!

Conclusion

*« Seul le battement à l'unisson du sexe
et du cœur peut créer l'extase. »*

– ANAÏS NIN

Ça y est, c'est le moment de conclure! Et ce que nous tenons à vous dire, plus que tout, est que:

Tout ce que nous présentons dans ce livre est possible.

Au moment même où vous lisez ces lignes, des couples ont déjà intégré le concept de L'Amour SEXSHIP, et jouissent de ses nombreux bénéfices. Faire de la place à l'érotisme n'est plus un luxe pour les privilégiés. L'érotisme est maintenant devenu une NÉCESSITÉ.

Faites l'amour, c'est BON pour vous!

Ce livre peut devenir un guide qui vous accompagnera au fil des années. De tout cœur, nous espérons que vous vous accorderez une période d'apprentissage. Elle est nécessaire. Cette transformation du couple prendra un certain temps.

Dans le respect de toute grande et nouvelle transition, le temps qu'il prendra est moins important que les résultats qu'il DONNERA…

Avec les années, vous serez étonnés des changements dans la dynamique de votre relation. Tout comme vos plus importants investissements, la romance, l'érotisme et le sexe seront reconnus comme priorités au sein d'un couple heureux et satisfait.

Ce livre présente un concept aidant à basculer dans une nouvelle dynamique de couple, basée sur l'échange du féminin et du masculin en chacun de nous, en utilisant le sexe.

Selon notre perspective, le sexe est un cadeau donné aux humains afin de se comprendre, de se guérir, d'évoluer et de s'aimer. Nous y avons simplement ajouté un mode d'emploi. Étant un des meilleurs outils pour faire la paix dans ce monde, le sexe avec amour génère de l'amour… Une personne à la fois, une séance d'amour à la fois.

Personne n'est dépressif après un bon moment d'amour au lit ! Le sexe nous nourrit, nous renforce, et nous élève… C'est sa nature, et d'aimer le sexe est dans notre nature d'humain. Rien n'est plus naturel que de faire l'amour et d'utiliser le sexe pour s'élever. C'est gratuit. Tantôt énergisant, tantôt calmant, toujours revitalisant.

Nous sommes les héritiers du monde que nous choisissons. Par cet ouvrage, nous avons axé toute notre énergie et notre attention sur l'amour. En laissant cette énergie vous inspirer, tous les outils se présenteront. Nous ne pouvons imaginer une meilleure façon de naviguer dans votre vie. Pensez-y, c'est ce que vous léguerez à la prochaine génération…

Notre plus sincère souhait est que vous viviez enfin cet amour tant convoité. Du plus commun des échanges à votre relation la plus intime. En vibrant dans cette énergie sacrée, l'amour fera son chemin en vous et autour de vous. Prioriser l'amour, c'est l'ultime attention qu'on accorde à soi !

Nous sommes honorés d'avoir été les représentants de *L'Amour SEXSHIP* dans vos vies et dans vos cœurs ! C'est avec grand soin que nous avons choisi chaque mot et que chacun des concepts a été éprouvé. Nous sommes dans l'heureuse anticipation de recevoir vos commentaires et questions…

Aux femmes qui ont mené une campagne contre les hommes, il est peut-être temps maintenant, si vous le souhaitez, d'abaisser les armes et de leur faire une place à vos côtés.

Aux hommes qui ont mal compris les femmes, si vous le désirez, elles deviendront vos meilleures alliées.

Notre bonheur à deux n'est possible que par l'unification des deux sexes : « Je suis bien quand tu es bien. » Croyez en votre bonheur et rappelez-vous…

Vous êtes dans la même équipe.

Vous avez donné une voix à votre cœur, elle a fait son chemin vers votre conscience, et vous l'avez entendue. Il vous est maintenant possible de vibrer à l'unisson avec votre bien-aimé, votre bien-aimée.

Bienvenue dans cet espace sacré, là où réside l'amour le plus pur, là où tout peut être transformé, là où tout est possible…

Remerciements de Chantal

Merci à tous mes clients qui, grâce à leurs efforts et leur générosité ont prouvé l'efficacité de mon concept ! Votre présence dans ma vie fut essentielle à mes découvertes. Merci à Éric et Tanya, Mike et Sylvia, Dan et Chantal, et plusieurs autres. Merci d'avoir accepté de partager vos précieuses expériences. Merci d'avoir cru en moi. Merci à notre comité de relecture, le temps étant une denrée rare, merci d'avoir partagé le vôtre avec nous. Marc Fisher, premier retour de relecture. Merci d'avoir reconnu la profondeur de notre matériel et surtout de m'avoir VUE ! J'ai adoré ta prédiction. Merci à Michel Ferron, un ajout puissant à notre projet, grâce à ta rapidité d'action et ton équipe, je me sens en sécurité !

Merci à mes amis, Manon Robert pour ton immense patience, Virginie et Stephen pour m'avoir remis sur la route, et à toi ma belle Stella pour toutes nos petites journées passées ensemble. Je pense à toi. Prends bien soin de Clara. Johanne Prieur, tu sais ce que tu as fait pour moi. Monic, prof de yoga, grâce à toi, je suis tombée amoureuse du yoga, et merci aux filles de yoga… J'adore nos petits jeudis !

Merci à toi, Ginette, qui as acheté le tout premier livre, avant même qu'il soit terminé ! Et à Lyne Cloutier (qui a acheté le deuxième), tu es mon ange sur terre. Je vous aime.

À tous mes professeurs, Geneviève Forget, ostéopathe extraordinaire, dotée d'une patience de fer. Alexandre Nadeau, tu sais toi aussi tout ce que tu as fait pour moi.

Un merci tout spécial au Dr Ihaleakala Hew Len pour votre temps et votre énergie, vous avez changé ma vie !

Merci à ma famille choisie, Jackie, Danielle, Catherine, Mimi et Manounette, votre attention, votre amour et votre soutien m'ont propulsée. Je vous aime. Vive la France !

Merci aux *girls*, Nicole, Julie, Michèle et Cynthia. Je suis une meilleure femme parce que vous êtes mes amies. Merci pour votre présence, votre soutien et surtout votre amour. Vous me touchez au plus profond de mon cœur.

Merci à Bob, mon ange gardien, ta mère est fière de toi.

Merci à un homme en particulier, mon cher David, coauteur et ami. Merci de m'avoir aidée à mettre mes idées et concepts sur papier, sans toi je n'y serais pas arrivée. Tu es un magicien de la plume ! Ta bonne humeur et ton sens de l'humour me rendent la vie belle. J'ai adoré notre collaboration ! Comme tu m'as rendue heureuse ! Merci, David, tu es mon banquier à moi !

Merci aux hommes de ma vie. Normand, tu m'as donné le plus beau cadeau de mon existence, notre fils Jonathan. Merci pour tout le soutien que tu lui donnes afin qu'il réalise et vive son rêve.

Philippe, merci pour ta détermination, ta présence dans ma vie m'a changée.

Merci à l'homme le plus fort que je connais, mon fils Jonathan. J'aime te voir faire tes choix de vie. Tu es un homme de grande qualité, tu es déterminé et ton cœur est magnifique. Tu utilises ta vie si bien! Je t'aime plus que je ne peux te l'exprimer. Je suis si fière de toi. Ashley, tu es une princesse à mes yeux, merci d'aimer Jonathan si merveilleusement. Je t'aime.

À vous, mes lecteurs et lectrices, qui avez choisi d'ouvrir votre cœur et votre tête, j'en suis honorée. Je vous souhaite la même libération et la même joie de vivre que j'ai ressenties. Je vous souhaite aussi la paix dans votre relation ainsi que beaucoup d'amour, à votre goût!

Merci, Divinité, vous savez ce que vous faites!

Remerciements de David

Écrire un livre… c'est toute une aventure! Ça nécessite amour, soutien, et conseils. J'aimerais d'abord remercier ma famille : Jack, Huguette, Mathieu, Olivier, Maude, Josiane et Lily-Jeanne. Vous êtes la meilleure famille du monde, ma plus grande richesse! Un gigantesque merci à mon mentor, Martin Latulippe, «*l'Éveilleur de potentiel*», un des premiers à avoir cru en moi. Tu m'as permis de livrer l'excellence et d'élever mes standards… Sans toi, je servirais encore des assiettes dans un restaurant, brother!

Pour ton amour, ton écoute et ta lumière, un merci rempli d'admiration à Christine Michaud, mon ambassadrice du succès! Également, sans la présence de Marc Fisher – mon modèle, mon «*millionnaire à moi!*» – je serais probablement encore à l'étape de rêvasser à mon prochain livre. Merci d'avoir rallumé la flamme et déclenché l'inspiration… sans oublier ta générosité sans limites pendant le processus de révision!

Je souhaite remercier Michel Ferron et toute l'équipe des Éditions Un monde différent. Sans vous, ce livre ne serait qu'un manuscrit sur une clé USB! Merci à Julie Snyder, qui m'a donné ma toute première chance en télé, jamais je ne l'oublierai. Merci aussi à l'équipe de *Sucré Salé*, Bernard Fabi et Jean-Marc Beaudoin qui ont cru en moi et qui continuent de le faire. Un grand merci à Isabelle Boutin, Paul Dupont Hébert et toute l'équipe de l'émission «*Qu'est-ce qu'on attend pour être heureux?*» sur les ondes de TVA. Grâce à vous, je suis fier de faire partie d'une équipe de pionniers de l'amour et du bonheur à la télé!

Un merci très spécial à Jeanne Séguin Laflamme qui a provoqué bien des réflexions en moi. Tu auras toujours une place spéciale dans mon cœur! Un doux remerciement à Marie-Ève Plamondon pour ton écoute et ta présence quand ça comptait. Merci à Geneviève Gauthier et Christine Papineau, mes «sœurs», pour votre simple présence et votre amour à distance. De grands remerciements à Judith Ritchie, qui m'a initialement inspiré et qui continue de le faire sans même le savoir…

Un sourire complice à mon coach préféré, à mon grand ami Sébastien Vouligny. Si tu n'étais pas dans ma vie, je devrais t'inventer! Un remerciement rempli d'amour à Yves Groleau. Merci à Francis Jalbert et Jeff Letendre qui m'endurent inconditionnellement depuis toutes ces années! Merci à Marc Boilard, qui m'a fait comprendre l'importance d'apprendre à bien jouer mes cartes à la table de l'amour! Un grand câlin à mon ami Martin Neufeld.

Merci à mon grand ami Martin Trépanier pour ta présence, ton écoute et ton soutien! Merci à mon mentor cosmique, Patrick Salibi, qui continue avec patience et amour à m'enseigner que la maladie n'existe pas; que tout se manifeste toujours de l'intérieur vers l'extérieur, et non l'inverse. Nos discussions me sont très précieuses, ONE! Merci aussi à Jean-François Cyr pour ton ouverture et ton amitié (je sais, je sais, je suis un grand existentialiste parfois!).

Un doux merci à Ysabelle Mercier, la top des stylistes! C'est fou comment j'ai grandi et appris rapidement à tes côtés. Vraie muse, tu m'as inspiré… Quelle femme spéciale tu es!

Un merci très senti à Marilou Lavallée. Tu m'as permis d'intégrer tellement de concepts sur l'Amour SEXSHIP! Merci de croire en moi et de partager ma vision, tu fais une GRANDE différence dans ma vie!

Un merci très particulier et unique à Chantal Lamontagne, ma partenaire dans ce projet si extraordinaire. Très chère Chantal, merci pour ta qualité d'être et ta présence. Merci, surtout, de m'avoir choisi… Je t'aime beaucoup!

Merci à cette grande et mystérieuse force qui régit ma vie par sa bienveillance et son amour… Merci à Dieu pour la force et la lumière en moi!

Merci, finalement, à toi cher lecteur, chère lectrice. J'ai une gratitude immense pour ton amour envers ce livre, c'est très précieux! Que tes plus grands souhaits présents deviennent les plus petites de tes réalisations futures…

Amour, paix, lumière… et sexe!

Namasté!

David

À propos des auteurs

Chantal Lamontagne

Chantal est une coach de vie spécialiste des relations de couples. Elle est la créatrice du concept SEXSHIP™ et offre des conférences, des ateliers, et du coaching privé sur le sujet.

Initiée et formée en privé à la méthode Ho'oponopono par le Dr Ihaleakala Hew Len à Hawaï, ainsi que diplômée certifiée en PNL, elle est motivée par une passion : rapprocher les couples et élever leur conscience. Ses stratégies l'amènent régulièrement à rapprocher et réconcilier des couples séparés ou sur le point d'éclater.

Elle est également fière maman de son fils Jonathan, un nageur national.

C'est une femme passionnée, une grande communicatrice qui simplifie et enseigne la méthode de *L'Amour SEXSHIP* avec grâce et humilité.

Chantal est dédiée à aider les gens qui viennent à elles, à élever leur conscience, et à faciliter les relations hommes-femmes en décortiquant leur langage respectif. Sa grande force vient de son approche énergétique et spirituelle…

Infos : www.chantallamontagne.com

David Bernard

Conférencier de la nouvelle génération, l'auteur propose une approche pour le moins originale et avant-gardiste, à l'image de son parcours professionnel. Boxeur olympique, détenteur du titre de champion québécois pendant trois années consécutives, David passe sa jeunesse à gérer sa vie comme un boxeur… en se battant pour gagner.

À l'âge de 19 ans, il voyage en Europe et en Afrique du Nord afin d'effectuer un pèlerinage spirituel et ainsi clarifier sa mission de vie. C'est dans le désert du Sahara qu'il découvre sa voie : étudier les principes du bonheur au quotidien pour ensuite les partager avec ses pairs.

Il entreprend par la suite un parcours pédagogique et est diplômé comme Coach certifié en programmation neurolinguistique, PNL pour les intimes. David œuvre comme conférencier et coach de vie au Canada, aux États-Unis et en France. Passionné et irrationnel, il privilégie une approche efficace, centrée sur l'humour et accessible à tous. Il traite de sujets tels que l'art de clarifier sa vision, la prise de décision, les stratégies pour affronter ses peurs, et maintenant le savoir-faire et savoir être pour réussir sa vie amoureuse.

Communicateur de talent, David exerce son métier – par le fait même sa grande passion – dans diverses sphères comme les milieux scolaires, corporatifs et le grand public. On peut également le voir évoluer à la télévision puisqu'il participe à diverses émissions et séries télé au Québec comme animateur, reporter, et mannequin (entre autres, *Le Banquier*, où il porte la valise n° 26).

Infos : www.davidbernard.ca

Annexe –
Lexique des équations SEXSHIP

L'ÉQUATION SEXSHIP =
COMPRÉHENSION ➤➤ COMPASSION ➤➤ AMOUR

L'ÉQUATION DU BONHEUR EN COUPLE =
CHIMIE + COMMUNICATION
+ COMPATIBILITÉ ET COMPLIMENTARITÉ

L'ÉQUATION SEXUELLE DE LA FEMME =
TÊTE ➤➤ CŒUR ➤➤ SEXE

LA FORMULE MAGIQUE AVEC SA FEMME =
SÉCURITÉ + ROMANCE = SEXE

L'ÉQUATION SEXUELLE DE L'HOMME =
SEXE ➤➤ CŒUR ➤➤ TÊTE

LA FORMULE MAGIQUE DE L'HOMME =
ATTENTION + SEXE = DÉVOTION

HOMME = MICRO-ONDES

FEMME = POÊLE À BOIS

TOUCHER NON SEXUEL =
POSSIBILITÉ DE DÉSIR SEXUEL

Bibliographie

Armstrong, Alison. *In Sync with the Opposite Sex*, Pax Programs, 2006.

Bernard, David. *Ralentir pour Réussir : L'art d'avancer plus vite, plus loin, plus rapidement*, Montréal, Isabelle Quentin Éditeur, 2008, 143 p.

Dunas, Felice, et Goldberg, Philip. *Passion Play*, Riverhead Books.

Fisher, Marc. *Toi et Moi*, Montréal, Québec Amérique, 2011, 187 p.

Fontaine, Isabelle. *EMPOWER*, Brossard, Éditions Un monde différent, 2010, 240 p.

Goldwyn, Samuel. *What the Bleep Do We Know ?* (Que sait-on vraiment de la réalité ?) Roadside Attractions, 2004.

Hay, Louise L. *Transformez votre vie*, Varennes, Ada éditions, 2010, 249 pages et Louise Hay & Friends, film DVD, Hay House, 2007.

Lamontagne, Chantal. *SEXSHIP Workshop*, Lamontagne Coaching.

Mantak & Maneewan Chia, Douglas Abrams & Rachel Carlton Abrams. *Le Couple multi-orgasmique : secrets sexuels que chaque couple doit connaître*, Paris, Guy Trédaniel, 2000, 215 p.

Mars, Billy Sunday, *Fit For Love*, The Experiment-New York, NY.

Michaud, Christine. *Encore plus belle, la vie !* Brossard, Éditions Un monde différent, 2011, 224 p.

Morency, Pierre. *Le Cycle de rinçage*, Montréal, Éditions Trans-continental, 2006. 167 p.

Ornish, Dean. *Love and Survival*, New York, HarperCollins, 1998, 284 p.

Tolle, Eckhart. *Nouvelle Terre : l'avènement de la conscience humaine*, Outremont, Ariane, 2005, 265 p.

Vitale, Joe et Hew Lenm Ihaleakala. *Zéro Limite :* le programme secret hawaïen pour l'abondance, la santé, la paix et encore plus, Montréal, Le Dauphin Blanc, 2008, 243 p.